FO PLA
112

D1501483

Darhan
LA QUÊTE

SYLVAIN HOTTE

DARHAN
LA QUÊTE

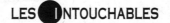
LES INTOUCHABLES

Les Éditions des Intouchables bénéficient du soutien financier de la SODEC et du Programme de crédits d'impôt du gouvernement du Québec.

 Nous remercions le Conseil des Arts du Canada de l'aide accordée à notre programme de publication.

Nous reconnaissons l'aide financière du gouvernement du Canada par l'entremise du Programme d'aide au développement de l'industrie de l'édition (PADIÉ) pour nos activités d'édition.

ASSOCIATION NATIONALE DES ÉDITEURS DE LIVRES Membre de l'Association nationale des éditeurs de livres.

LES ÉDITIONS DES INTOUCHABLES
4701, rue Saint-Denis
Montréal, Québec
H2J 2L5
Téléphone : 514-526-0770
Télécopieur : 514-529-7780
www.lesintouchables.com

DISTRIBUTION : PROLOGUE
1650, boulevard Lionel-Bertrand
Boisbriand, Québec
J7H 1N7
Téléphone : 450-434-0306
Télécopieur : 450-434-2627

Impression : Transcontinental
Logo : Benoît Desroches
Infographie : Jimmy Gagné, Studio C1C4
Illustration de la couverture : Boris Stoilov

Dépôt légal : 2009
Bibliothèque et Archives nationales du Québec
Bibliothèque nationale du Canada

© Les Éditions des Intouchables, Sylvain Hotte, 2009
Tous droits réservés pour tous pays

ISBN : 978-2-89549-358-7

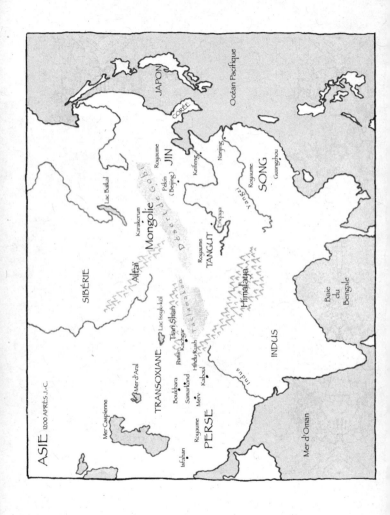

PROLOGUE

Zara se collait contre le corps chaud du grand oiseau. Elle sentait s'activer la puissante musculature du volatile à chaque battement d'aile. Il planait, emporté par les courants d'air chaud qui le faisaient monter très haut, jusque dans les nuages. Tout en bas, un troupeau de moutons qui se déplaçait sur le flanc aride d'une montagne paraissait minuscule. De là-haut, le monde n'était plus le même ; il semblait si petit qu'elle avait l'impression de pouvoir le saisir entre ses doigts.

L'aigle au plumage éclatant, d'un blanc immaculé, se posa au sommet d'une montagne du massif des Tian Shan. Au loin se dessinait la grande mer désertique du Taklamakan, avec ses amas rocheux et ses dunes de sable comme des vagues immenses poussées par le vent. La ville de Kachgar et ses hautes murailles, située aux confins des grandes routes caravanières du sud et du nord, paraissait irréelle, comme si on l'avait crayonnée sur du parchemin.

La jeune femme sauta à pieds joints dans la neige. Il lui fallut un instant pour rétablir son équilibre. Puis, elle fit un tour sur elle-même pour réaliser que le grand oiseau avait disparu. À quelques pas devant elle se tenait Darhan dans ses vêtements guerriers, sa peau de loup remontée sur sa tête. Ses yeux noirs brillaient d'une lumière scintillante, un peu comme celle qui miroite à la surface d'un lac parcouru par la brise.

Zara sourit en sentant une chaleur intense l'envahir, comme dans le plus beau rêve. Elle s'avança vers le guerrier et colla son ventre contre lui. Et tous deux demeurèrent dans les bras l'un contre l'autre, dans une longue étreinte qui dura jusqu'à la nuit, jusqu'à ce que cinq étoiles brillent magnifiquement dans le ciel.

Chapitre 1

Le dernier souffle de l'empereur

Hisham le Perse, debout au milieu de la route de Zhengzhou, affichait un air préoccupé. Il se grattait régulièrement la barbe en ruminant des mots décousus et en faisant les cent pas. Puis, il soupirait en soufflant puissamment l'air de ses narines, comme l'aurait fait un cheval, et jurait en pointant du doigt l'horizon, à l'ouest.

Derrière lui, le ciel était gris et menaçant. Les nuages opaques, flottant très bas, semblaient remonter le courant du fleuve Huang he en se déplaçant comme de longs rouleaux depuis l'océan en aval. Les eaux sombres et jaunâtres étaient animées par un courant fort, gonflé par les pluies abondantes des derniers jours. Après avoir montré de nombreux signes d'impatience, le guerrier quitta la route en frappant du pied le sol poussiéreux pour se diriger vers la rive. Il se glissa parmi les roseaux jusqu'au bord de l'eau, où l'attendait un vieillard.

L'homme aux cheveux gris et au visage imberbe affichait une vigueur étonnante pour son âge. Il se retourna vivement vers le gros Perse qui agitait les longues herbes avec ses larges épaules. En s'exprimant avec ses mains, il lui fit signe de ne pas faire de bruit, d'être le plus silencieux possible. Ce qu'Hisham fit en s'accroupissant et en demeurant immobile.

– Alors, demanda le vieil homme, aucun signe de notre ami?

– La route est déserte, répondit Hisham. Aucun signe de lui, ni des cavaliers. Je parie que cette petite peste s'est arrêtée pour dîner et faire la sieste!

– Voyons, maître Hisham, fit l'homme. Mesurez vos paroles. Si votre ami n'est pas ici, c'est qu'il a été retenu.

– C'est parce que tu ne connais pas cet étourdi, Ji Kung.

– Je suis persuadé qu'il y a une excellente raison à son absence. Selon moi, ce ne peut être que de la prudence. Il veut éviter d'être repéré et il demeure caché, voilà tout.

– Eh bien!... Souhaitons que tu dises vrai et que rien ne soit arrivé à cette canaille, soupira Hisham.

Tous les trois, au départ de Zhengzhou, avaient marché sur le chemin qui allait vers l'est en longeant le Huang he. La route était déserte la plupart du temps. Ils croisèrent seulement quelques commerçants voyageurs arrivant de Keifeng. Ce fut d'ailleurs l'un d'eux, s'arrêtant pour faire un brin de causette, qui leur signala la présence sur la route de quatre cavaliers qui semblaient être sur leur piste. Ces hommes au comportement erratique ne portaient pas d'habits militaires. Ils avaient plutôt l'air de bandits de grand chemin parés à leur fondre dessus pour leur voler quelques pièces. Mais jamais ils ne tentèrent une attaque ni même une approche, se contentant de les suivre en les observant de loin.

Les trois compagnons furent vite agacés. Hisham voulut les attendre pour leur régler leur compte, mais Ji Kung s'y opposa, jugeant qu'il fallait d'abord tenter de savoir qui ils étaient et ce qu'ils voulaient. Ils convinrent que Subaï se cacherait le long de la route pour les laisser passer. Il les suivrait ensuite en cherchant ce que ces gaillards avaient en tête, et se tiendrait prêt à désamorcer une attaque-surprise s'il le fallait.

— L'information, avait dit Ji Kung, celui qui détient l'information, détient le pouvoir. L'espionnage a de grandes vertus chez nous. Il permet de connaître son adversaire et d'analyser ses faiblesses. L'art de la guerre, c'est soumettre son ennemi sans combattre, a écrit le grand Sun Tzu.

Ainsi, Hisham et Ji Kung continuèrent leur route le long du grand fleuve Jaune. Vers la fin du jour, ils retrouvèrent la jonque dérobée par Wan-feï, ancrée au fond d'une anse : une grande baie aux eaux brunes et vaseuses, parsemées de longues herbes.

Hisham demeura sur la route, inquiet pour son ami, tandis que Ji Kung observait le navire.

– Et qu'est-ce qu'il dit, votre Sun Tzu, fit Hisham, lorsque l'espion est attrapé ?

– Un espion attrapé n'est plus un espion. C'est un condamné.

– Mouais, bon, c'est malin…

Le soir s'étirait au point où il ne restait plus qu'un filet de lumière. Flottant au bout de son câble, le vaisseau tournoyait, agité par les courants de la baie. En toile de fond, il y avait un ciel bleu-noir où quelques étoiles brillaient, au nord-est. Sur le pont du navire, on vit quelques torches s'allumer. Il y avait encore du monde à bord, et on pouvait espérer que le trésor du roi Aïzong n'avait pas été déchargé.

– Comme je l'ai affirmé plus tôt, dit Ji Kung, Wan-feï n'est pas un bon marin. Ses mercenaires et lui ont si mal mouillé qu'on dirait que le bateau chasse sur son ancre. Si le vent vire à l'ouest, comme je le pense, ils pourraient le regretter. Ils vont finir au fond de la baie, échoués dans la vase.

– Et en attendant, que faisons-nous ?

– Franchement, je l'ignore, maître Hisham. Pour l'instant, personne ne semble avoir mis pied à terre. Je ne vois ni barque ni personne sur la rive. Selon moi, ils attendent un signal avant d'agir. Et je pense que nous ferions mieux d'attendre, nous aussi. Il devrait se passer quelque chose très bientôt.

La nuit tomba tout à fait. Hisham faisait des allers-retours de la rive à la route, cherchant du regard, dans la nuit noire, un signe de Subaï. Mais en vain. Seul le vent lui répondait en agitant les branches des arbres et les roseaux. Découragé, il décida que, pour l'instant, le mieux était de reprendre des forces. Il alla rejoindre Ji Kung sur la rive et s'étendit dans l'herbe pas très loin. Il avait à peine fermé les yeux qu'il s'endormit.

Il fit un de ces rêves étranges, de ceux qui vous prennent lorsque vous vous endormez épuisé après une dure journée. Dans ce rêve, il était capitaine de bateau et affrontait une vilaine tempête. Le navire allait couler, et il ne savait plus s'il devait l'abandonner ou mourir noyé avec la marchandise. C'est alors que le bruit d'un cheval en plein galop se fit entendre. Comment un cheval pouvait-il se mouvoir sur les flots ? Hisham s'éveilla aussitôt en prenant conscience que quelqu'un arrivait sur la route.

Il courut à toute vitesse parmi les quenouilles et les hautes herbes pour voir un cavalier qui approchait dans la pénombre. Hisham, qui ne craignait rien, pas même un cheval, se plaça au milieu du chemin, paré à lui bloquer la route. Mais l'animal s'arrêta droit devant lui et le cavalier sauta habilement sur le sol. À son grand soulagement, le Perse reconnut Subaï.

– Ah ! Te voilà enfin, espèce de crapule ! Mais où est-ce que tu étais ? Et qu'est-ce que c'est que cette monture ?

Mais le petit voleur de Karakorum ne l'écoutait pas. Il tenait en main un rouleau de corde avec lequel il frappa la croupe du cheval. L'animal partit au galop et disparut dans la nuit. Subaï lança un bout de la corde à Hisham qui l'attrapa.

– Qu'est-ce que tu veux que je fasse avec ça ?

– Cesse de discuter, gros bêta. Et dépêche-toi, ils arrivent. Coince-la autour d'un tronc d'arbre. Nous allons bloquer leurs chevaux.

– Comment ça, « ils arrivent » ? De quoi tu parles ? Quelle bêtise as-tu encore faite, canaille ?

Le temps pressait. Sans s'occuper de son compagnon, Subaï sauta dans le boisé, de l'autre côté de la route. Il enroula la corde autour d'un saule au tronc très large. Hisham, qui n'y comprenait rien, demeurait au milieu du chemin, les bras croisés, la corde traînant à ses pieds.

– Espèce d'Hisham de mes deux ! cria Subaï. Mais dépêche-toi donc ! Ils arrivent !

Le galop de plusieurs chevaux se fit entendre, plus loin sur la route. Trois cavaliers dévalaient la pente et fonçaient sur eux. Comprenant enfin de quoi il retournait, le Perse sauta de son bord de la route pour mettre le plan de Subaï à exécution. Seulement, de ce côté, il n'y avait que des quenouilles et des fleurs. Il se retourna vers son compagnon exaspéré qui agitait les bras en lui faisant signe de faire vite.

– Il n'y a pas d'arbre, espèce d'imbécile ! Comment tu veux que je la coince, cette satanée corde ? Il n'y a que des roseaux !

– Alors, on n'a pas le choix. Tiens-la bien !

– « Tiens-la bien » ? ! ! Mais de quoi tu parles ? T'es malade ! ?

Les cavaliers étaient sur eux. Subaï souleva la corde à la hauteur du poitrail des chevaux. Hisham, devenu blême, agitait la tête de gauche à droite, comme s'il savait ce qui l'attendait. Le choc fut extrêmement violent. Malgré sa force herculéenne, le gros Perse n'était pas en mesure de s'opposer à la puissance de trois chevaux en plein galop. À cause de la corde enroulée autour de ses avant-bras, il fut projeté loin en avant.

Et il cria à s'en déchirer les poumons :

– Subaaaaaaaaaï !

– Mais quel bouffon, cet Hisham ! dit le petit voleur de Karakorum en regardant son gros ami s'envoler plusieurs mètres dans les airs.

Malgré le fiasco apparent, le stratagème réussit… en partie. Les chevaux furent arrêtés par la corde qui s'emmêla autour de leurs pattes. Hisham qui suivait roula entre leurs jarrets en hurlant de douleur, piétiné par leurs sabots. Alertes, malgré la pagaille et leurs montures emballées, les deux cavaliers sautèrent à terre pour s'en prendre à Subaï. Mais ils eurent à peine le temps de sortir leurs épées qu'ils furent assommés par le Perse dégagé de sa fâcheuse position. Le troisième homme fut intercepté par Ji Kung, venu à la rescousse. Le brigand s'éloignait en tirant son cheval par la bride lorsqu'il sentit la lame froide du Jin contre sa gorge. Il se rendit sans opposer de résistance.

– Pour un plan débile, c'était un plan débile ! fit Hisham en regardant ses vêtements déchirés et couverts de boue.

Il avait des vilaines éraflures partout sur le corps. Ses avant-bras étaient meurtris par la corde qui y avait laissé de profondes lacérations. Mais le plus insupportable, et il s'en rendrait compte très bientôt, c'était qu'une partie de sa barbe avait été arrachée par le coup de sabot qu'il avait reçu en pleine figure.

– Ben quoi? dit Subaï. On les a eus, ces idiots.

– On a failli crever!

– L'important, ce n'est pas la manière, c'est le résultat, ajouta le petit voleur philosophe.

– Et votre Sun Tzu, il serait d'accord avec ça? demanda Hisham à Ji Kung.

– Celui qui n'a pas d'objectif ne risque pas de l'atteindre, a dit le grand Sun Tzu. Si le résultat atteint est le résultat souhaité, c'est parce qu'on s'est bien inséré dans le flux du Tao. Alors, j'imagine que c'est OK.

– Eh ben! maugréa Hisham. Décidément, c'est la soirée des grands esprits.

Le petit voleur de Karakorum expliqua qu'il avait vite été persuadé que ces hommes en avaient après eux. Profitant du fait qu'ils s'étaient arrêtés pour faire boire leurs chevaux au bord du fleuve, il avait volé l'une des montures. Le quatrième cavalier était sûrement sur leur piste. Qui étaient ces hommes? Pourquoi les suivaient-ils? Subaï l'ignorait. C'est Ji Kung qui éclaira sa lanterne en s'adressant à l'un des brigands; celui-ci lui révéla qu'ils étaient des espions Song.

Hisham, qui s'était fait piétiner par trois chevaux, mais avait tout de même réussi à assommer deux des leurs avec la seule force de ses poings, n'eut aucune difficulté à les faire parler. Ça tenait certes à sa puissance herculéenne capable de s'opposer à la force de trois destriers dont on avait lâché la bride. Mais aussi, sans aucun doute, à son faciès sanguinolent et à sa moitié de barbe arrachée qui lui donnaient l'air d'un barbare fou sorti tout droit des enfers.

Ainsi, l'un des brigands dévoila tout, expliquant qu'ils étaient chargés de patrouiller dans la région. Il devait s'assurer que le transfert du trésor, depuis la jonque, aux troupes Song en provenance de Wuchang se fît bien. Il ajouta qu'ils étaient devenus suspicieux en les apercevant sur la route. Dès lors, ils avaient commencé à se douter que des gens d'Aïzong étaient sur l'affaire et que la transaction risquait d'avorter.

— Nous ne voulions pas vous attaquer, seulement avertir les nôtres de votre présence.

— Et quand doit-elle avoir lieu, cette transaction ? demanda Ji Kung qui s'était rapproché.

— Aux premières lueurs du jour. Un canard va chanter trois fois.

* * *

Gengis Khān est décédé quelque temps après les événements du mont Helanshan, racontés dans nos aventures précédentes. On dit qu'il avait à peu près soixante-dix ans. Foudroyé par l'image de ce jeune garçon tenant sa mère morte entre ses bras, le grand conquérant ne s'en remit jamais. Son état se détériora peu à peu, au fur et à mesure que ses fils et ses généraux terminaient l'avilissement du royaume tangut, anéantissant toutes les structures politiques et économiques, et l'annexant définitivement à l'Empire mongol. Inutile de décrire les souffrances de ce peuple qui connut les dernières foudres de Gengis Khān avant son trépas. Leur histoire se consolera en racontant qu'une jeune princesse tangut, dont l'empereur était tombé amoureux, l'aurait empoisonné courageusement. Celle des Mongols attribuera la fin du khān à une banale chute de cheval, afin que personne en ce monde ne puisse s'enorgueillir de cette mort illustre. L'histoire appartient aux vainqueurs, les légendes, aux vaincus.

Ögödei, de retour de l'ouest, préparait la conquête du royaume Jin, plus au nord, depuis Karakorum, la capitale. Aussitôt la nouvelle du décès imminent de son père parvenue jusqu'à lui, il s'empressa de prendre la route pour être à son chevet. Et, en compagnie de son jeune frère Tului, il assista aux derniers instants de Temujin-Gengis Khān, empereur des Mongols.

L'immense yourte impériale, décorée par tous les honneurs remportés au combat, avait des allures funéraires. Des hommes y entraient et en sortaient : seigneurs et grands généraux venus faire leurs dernières révérences à celui qui avait fait d'eux les hommes les plus riches et puissants d'Orient. Avant de passer l'énorme porte de bois que gardaient deux soldats keshigs aux faciès redoutables, Ögödei croisa maître Djebe.

Le futur empereur regarda le vieil homme encore fort et puissant qui avait été si loyal envers son père. Il le salua de la tête, ce à quoi le général répondit, mais en s'inclinant encore plus bas en signe de respect.

– Quelles sont les nouvelles, Djebe ?

– Votre père n'en a malheureusement plus pour longtemps. Les fièvres l'ont gagné et je crains qu'il ne passe pas la nuit.

– Je peux compter sur ton soutien ?

– À n'en pas douter, ô Ögödei. Les liens qui unissent nos familles ont des racines qui s'enfoncent profondément dans la terre de nos ancêtres. Je serai fidèle à votre khanat comme je l'ai été à celui de votre père. Vous n'avez rien à craindre.

Bien qu'il fût désigné comme successeur de son père, Ögödei craignait comme la peste les dissensions au sein des tribus. Et le soutien de l'un des généraux les plus respectés de l'Empire lui était indispensable.

Ses yeux mirent du temps à s'habituer à l'obscurité qui régnait là. La yourte empestait la fumée de l'encens et des lampes à huile qu'on y faisait brûler. Le chant d'un chaman résonnait tel une longue litanie à peine audible, faite de sons gutturaux et de borborygmes. Il fut surpris de trouver au chevet de son père, outre son frère et les nombreux serviteurs qui s'affairaient à rendre plus supportables les dernières heures du khān, deux hommes qui portaient la robe : un ouléma de la religion musulmane et un moine bouddhiste, assis en retrait et absorbés dans leurs prières. Cette passion qu'éprouvait son père pour les nouvelles religions qui déferlaient sur le continent déplaisait souverainement à Ögödei qui voyait là un signe de faiblesse de la part d'un homme vieillissant. Lorsqu'il reconnut le moine Qi Changchun et l'ouléma Al-Mahdi, qui avaient assisté à la correction que lui avait infligée Gengis Khān sur le plancher de marbre de son palais de Karakorum, il se promit de leur faire subir un mauvais sort aussitôt que son père aurait rendu l'âme.

Tului, vêtu de ses habits de guerre encore sales des derniers combats qui avaient eu lieu dans une région rebelle au sud d'Eriqaya, l'accueillit près de la couche de leur père, le saluant du regard. Il n'y avait ni amour ni haine entre les deux frères. Seulement le respect mutuel que commandaient les liens du sang et la continuité des choses. Si Ögödei, poussé par les délires paranoïaques qu'entraînait sa trop grande consommation d'alcool, pouvait parfois se méfier de son jeune frère qui serait logiquement appelé à le remplacer advenant sa mort, Tului, quant à lui, ne démontrait aucun intérêt pour le pouvoir. Il était plus intéressé par l'art : celui de la guerre, bien sûr, mais aussi de la musique et de l'écriture. Si le Kuriltaï lui avait offert à l'unanimité le trône de l'Empire, il l'eût sans doute refusé.

— Il est encore conscient ? demanda Ögödei.

— Parfois il émerge de ses délires et il nous parle comme s'il était prêt à prendre la route pour d'autres batailles. Mais très vite, les fièvres prennent le dessus. Son esprit auparavant limpide s'enfonce alors dans des zones d'ombre, et il souffre comme s'il rêvait un long cauchemar.

— Bientôt, il rejoindra les anciens esprits de la steppe. Et il sera en paix pour toujours.

Tului acquiesça aux sages paroles de son frère, convaincu de même, comme tout bon guerrier, que les souffrances du monde des vivants ne sont qu'un bien petit tribut à payer pour la paix éternelle.

Le corps usé de Gengis Khān reposait au milieu d'une quantité de fourrures. On ne voyait que ses épaules, frêles en raison de son âge avancé et de sa maladie qui durait depuis des mois. Toutefois, cette chair, épuisée par tant de combats, laissait encore deviner une ossature qui avait autrefois appartenu à un géant. Le Grand Khān était en sueur. Régulièrement, un serviteur se penchait sur lui pour lui essuyer la tête avec une serviette imbibée d'eau fraîche. Ses lèvres s'agitaient alors, et un léger murmure se faisait entendre.

Ögödei fit taire le chaman qui cessa aussitôt ses chants et ses incantations. Il se pencha ensuite sur son père, cherchant à distinguer les mots qui se formaient sur ses lèvres. Mais en vain. Agacé, il s'adressa à son frère :

– Mais qu'est-ce qu'il cherche à dire ?

– Depuis des mois, notre père n'a cessé de mentionner cinq étoiles qui brillaient dans le ciel dans un alignement singulier. Il m'en décrivait la position exacte, mais je ne voyais pas, ou à peine, ce que lui disait voir briller comme des soleils. Il croyait que c'était là un signe des dieux : un message qu'il devait déchiffrer. C'en était devenu une véritable obsession, si bien qu'il n'en dormait plus la nuit, passant de longues heures, jusqu'à l'aube, à observer la voûte céleste. Depuis que ces fièvres se sont emparées de lui, son esprit n'est plus habité que par ces cinq étoiles.

Gengis Khān murmura encore un instant. Puis il ouvrit les yeux d'une manière qui fit sursauter ses deux fils. Il fixa Ögödei intensément, comme s'il cherchait à transpercer son âme. Son regard était d'une lucidité désarmante pour un homme qui, quelques minutes à peine, donnait l'impression d'en avoir fini avec la vie.

– Mon... mon père, dit le futur empereur. Vous allez bien ?

– Je suis touché que tu aies fait le chemin jusqu'à moi, mon fils.

– Dès que j'ai appris votre maladie, je me suis précipité à vos côtés.

– Voilà qui t'honore. Tes affaires à Karakorum auraient dû te garder là-bas. Nos armées doivent se préparer à marcher sur les territoires d'Aïzong le traître. Les Jin devront payer un lourd tribut pour s'être alliés à Asa-Gambu et aux Tangut.

– Les préparatifs vont bon train, dit Ögödei. Nos armées du nord se massent sur la frontière dans les terres de l'Ordos. Nous n'attendons plus que le retour des armées de Tului du fin fond des territoires tangut, qui s'occuperont de la frontière ouest. De plus, notre alliance tactique avec les Song, qui prendront la frontière sud, devrait venir à bout d'Aïzong qui ne résistera pas longtemps et s'inclinera rapidement.

– Bien. Très bien, fit le khān. Nous ne pouvons échouer. Encore une fois, nous allons montrer au monde que nous sommes les plus forts. Par contre, il faudra bien se méfier des Song. Si les Mongols ont un ennemi qu'ils doivent craindre et respecter sur ce continent, c'est bien le puissant empire Han des Song. À la suite de cette alliance, ils auront des visées sur Keifeng et sur une partie du territoire des Jin. Sur cela, mon fils, tu ne devras pas céder. Et s'il le faut, déclare-leur la guerre pour préserver l'intégrité de tes conquêtes.

Ögödei, le guerrier, buvait les paroles de son père comme s'il recevait là la bénédiction du saint d'entre les saints. Il se voyait déjà, tel le fléau des dieux, triompher des Song et marquer l'histoire d'une manière encore plus indélébile que son père ne l'avait fait.

Gengis Khān voulut s'asseoir sur sa couche, même si ses douleurs l'en empêchaient. Il y parvint péniblement avec l'aide de ses deux fils qui, délicatement, le soutinrent en faisant bien attention à son corps ravagé par la maladie. Aussitôt qu'il fut en position assise, tous ceux présents dans la yourte impériale se mirent à genoux en s'inclinant très bas devant celui qui, pendant tant d'années, les avait menés à d'innombrables triomphes, et que certains considéraient comme un dieu parmi les vivants.

Gengis Khān se racla la gorge à plusieurs reprises et mit du temps à reprendre son souffle, comme s'il venait de faire un effort titanesque. La lumière sembla s'atténuer dans la yourte. Un silence lourd s'installa pour laisser toute la place aux paroles que l'empereur allait prononcer.

Il était chétif, mais une puissance extraordinaire émanait de lui, telle une aura qui inondait tous ceux qui portaient le regard sur lui. Finalement, il parla :

– Nous avons su, à force de conviction et de génie, imposer nos vues à un monde corrompu et qui, jusqu'alors, nous avait considérés pendant des milliers d'années comme un peuple de sauvages et d'esclaves. Aujourd'hui, ce sont ces mêmes gens qui nous ont imposé malheurs et souffrances, qui nous servent et nous traitent en maîtres. L'ère des Mongols est venue. Nous allons régner sur l'univers pour l'éternité. Mais, pour ce faire, pour que cette prophétie se réalise, il faudra que nous sachions en être dignes. S'il est une erreur que j'ai commise, aujourd'hui je m'en confesse. J'ai enfin compris le signal des étoiles. Il y a eu trop de souffrance et de peine en ce monde. Et je demande pardon à tous les enfants qui ont vu mourir leur mère par ma faute. J'ai compris le message des dieux. Sachez que, dorénavant, les Mongols ne devront plus tuer inutilement. Le temps des barbares est révolu. Une nouvelle ère approche pour l'humanité. Une ère de paix et d'espoir. Ögödei, mon fils, je compte sur toi. Pour le salut de l'âme de notre peuple.

Il avait prononcé ces dernières paroles en un seul et long souffle. On vit ses épaules s'affaisser, comme cédant à une charge trop lourde. Son dos s'arrondit et sa tête, lentement, commença à pencher sur le côté. Il ferma ses yeux qu'il ne devait plus jamais rouvrir. Ses fils le couchèrent parmi les fourrures en lui adressant un dernier adieu.

Ils sortirent tous deux en affichant des mines autant accablées que perplexes, ne sachant trop que penser des dernières paroles de leur père. Devant la grande yourte, des milliers de soldats attendaient en silence, une expression de deuil sur le visage. Ce retour d'Ögödei depuis la capitale n'annonçait rien de bon.

Les deux frères, côte à côte, ne purent s'empêcher de regarder le ciel du soir couchant. Ils cherchèrent les cinq étoiles, mais sans rien voir, comme des aveugles.

– Que faire, maintenant ? demanda Tului.

– Je vais emmener sa dépouille à Karakorum, où elle sera inhumée comme il se doit. Tu devras te tenir prêt à l'attaque avant l'automne. Il faut qu'on puisse pousser nos armées profondément en territoire Jin avant le début de l'hiver, sinon ça pourrait jouer contre nous.

– Ça me laisse peu de temps pour mater les dernières poches de rébellion tangut. Mais ce sera possible.

Ögödei monta à cheval, aidé de deux soldats de sa garde rapprochée.

– Et que penses-tu des dernières paroles de notre père, ô mon frère ? demanda Tului qui voulait l'entendre devant tous.

– Je pense que ce sont là les paroles d'un homme qui fait face à la mort. Je ne pense pas qu'il y ait de victoire possible pour notre peuple sans la violence et la terreur qui viennent avec. Les dernières paroles de Gengis Khān sont à prendre tel une fable ou un songe. Elles doivent être interprétées par les chamans et les moines, sans plus, et ne sauraient guider un guerrier et un conquérant.

Tului ne s'étonna pas de cette réponse de son frère. Il se demanda seulement si, la mémoire de leur père ainsi bafouée, un grand malheur ne s'annonçait pas pour leur peuple.

Quelques jours après que Temujin-Gengis Khān eut rendu l'âme, aux termes de fièvres interminables – le chaman raconta avoir vu un grand faucon bleu s'envoler vers le ciel –, Ögödei et ses guerriers firent un cortège funéraire qui ramena le corps de l'empereur jusqu'à Karakorum. Après les cérémonies d'usage, un petit groupe d'esclaves fut chargé d'accompagner Ögödei Khān au lieu choisi pour la sépulture, dans les Montagnes noires. Depuis ce jour, jamais on ne retrouva trace de l'endroit où fut inhumé le grand empereur.

Certains racontent qu'une fois la dernière pierre du tombeau mise en place, Ögödei fit exécuter tous ses serviteurs, jusqu'au dernier, pour que jamais la tombe de son père ne soit découverte.

CHAPITRE 2

Sous les abricotiers

Ürgo l'affreux venait d'être renversé. Le peuple était en liesse, et la fête dura plus de trois jours à Kachgar. Celui que les Mongols avaient nommé à la tête de leur ville était un tyran, et personne, ni parmi les prélats ni même au sein de l'armée, ne put s'opposer à la volonté du peuple. Le palais qu'il occupait avait été pillé et brûlé. Tous ses biens avaient été saisis et partagés. Et déjà, les chefs de tribu se réunissaient pour préparer sa succession, cherchant à s'entendre sur celui d'entre eux qui conviendrait… et ferait l'affaire du khān, bien sûr.

Darhan et sa famille – Mia, Yol, Yoni, Zara et Souggïs –, se présentèrent en ville le troisième jour des festivités. Une ambiance bon enfant régnait toujours dans les rues et les grandes places publiques. La chute de ce grossier personnage faisait l'unanimité, et partout on entendait raconter les frasques d'Ürgo. L'inspiration ne manquait pas à ceux qui cherchaient un auditoire tout acquis d'avance : dans leurs histoires, le tyran était décrit comme un ogre sorti tout droit d'un conte fabuleux.

– Il a mangé cent vaches à lui tout seul ! disait l'un.

– Il dormait dans un lit recouvert de pièces d'or et de bijoux ! ajoutait un autre.

– Il avait d'immenses fourneaux dans ses caves. Il faisait cuire des enfants pour extraire leur graisse et en faire du savon ! renchérissait encore quelqu'un qui n'était pas à court d'imagination.

Si le personnage d'Ürgo faisait l'objet des rumeurs les plus folles et les plus absurdes, celui de madame Li-li, quant à lui, soulevait les passions et suscitait une haine morbide qui donnait des frissons. Cette fille de Kachgar s'était alliée au monstre pour abuser des siens. Un acte impardonnable, considéré comme de la traîtrise. Si le peuple lui mettait la main dessus, elle serait lapidée sur la place publique sans autre forme de procès.

Ainsi, il y avait un fond malsain à cette joie, à cette allégresse. Une haine non assouvie flottait comme une odeur déplaisante. L'ambiance n'était pas des plus agréables et n'importe qui aurait pu s'y sentir mal à l'aise. Les étrangers, surtout.

– Il nous faut absolument quitter cette ville de fous, dit Zara à Yoni. Je n'en peux plus.

La mère de Darhan regardait la jeune fille marcher en cachant son ventre proéminent sous une grande robe qui traînait dans la poussière. La petite était forte et très fière. Malgré toutes ses mésaventures, elle avait su faire preuve de courage et d'abnégation, et Yoni l'avait tout de suite aimée, la reconnaissant aussitôt comme sa propre fille.

Bien sûr, déambuler à travers cette foule agitée était mauvais pour les nerfs de Zara. Bien qu'elle fût native de cette ville, elle rêvait de grands pâturages verts où des moutons broutaient paisiblement. Elle avait envie, besoin même, d'un calme absolu avec cette nouvelle famille qui était désormais la sienne. Elle, qui n'avait jamais connu ses parents et avait été esclave toute sa vie, le désirait plus que tout au monde. Et elle sentait que l'enfant qu'elle portait l'exigeait aussi.

Devant la grande maison en ruine d'Ürgo, ils demeurèrent un instant sans mot dire, ne sachant s'ils devaient entrer pour jeter un coup d'œil. Les braises fumaient encore, et visiblement il ne restait plus grand-chose de ce qui avait constitué la fortune du tyran. Des vieilles casseroles de la cuisine au moindre morceau d'étoffe, tout avait été pillé par le peuple en colère. Et le partage des biens était terminé depuis un bon moment. Il aurait été inutile de réclamer les moutons qu'Ürgo avait dérobés à la famille. L'affreux avait tout perdu… et eux aussi.

Il fallait repartir à zéro.

– Nous pourrions trouver du travail dans une ferme des environs, suggéra Mia. Il y a de nombreux éleveurs dans les montagnes. Nous pourrions nous engager comme bergers, le temps de nous faire un peu de sous avant d'entreprendre le voyage jusque chez nous.

Tout le monde regarda cette pauvre Mia, qui était presque aveugle et ne pouvait plus se déplacer sans tenir la main de la petite Yol. Il n'y avait pas d'autre solution, et tout le monde tomba d'accord. Ensemble, ils pouvaient certainement être utiles pour aider aux semences, aux récoltes et à l'entretien du bétail. Ainsi, en guise salaire, au bout d'une année de labeur, ils négocieraient avec les fermiers quelques bêtes de somme pour le voyage de retour, et quelques moutons, bien sûr, afin d'en recommencer l'élevage dans les environs de Karakorum. Il leur faudrait demeurer encore longtemps dans cette région hostile, loin de chez eux.

Ils passèrent près du marché dans l'espoir de dégotter quelques fruits pour le déjeuner. Il y avait foule sur la grande place. Ils déambulaient entre les étalages garnis lorsqu'ils remarquèrent un garçon d'une douzaine d'années qui les observait. Il était habillé sobrement, comme un habitant de Kachgar, avec ce pantalon très ample qui tombait très bas. Il était coiffé d'un bandeau et d'un foulard et portait un morceau d'étoffe grise agrémentée de quelques broderies, non pas sur sa bouche et son nez pour se protéger du vent et du sable, mais plutôt sur le haut du visage pour cacher ses yeux.

– Mais je le reconnais ! s'exclama Zara. Je l'ai vu dans la cour d'Ürgo, depuis la chambre dans laquelle j'étais enfermée. Il était avec ce vieil homme, l'apothicaire. Il s'appelle Amin.

Le garçon, privé de la vue et de la voix, avait acquis une ouïe extraordinaire, bien supérieure à celle des êtres humains normaux. Ainsi, à travers la foule, il entendit la jeune fille de Kachgar prononcer son nom et s'approcha d'eux, comme s'il était doté d'un sens mystérieux qui lui permettait de se déplacer malgré sa cécité. Il semblait intrigué et se balançait de droite à gauche. Puis il comprit, en reconnaissant la voix de Mia qui lui disait bonjour, que ces gens étaient les amis du vieux Nadir, son oncle.

Il poussa un cri strident qui les fit tous sursauter. Et la foule s'écarta pour faire place à un grand bonhomme, très âgé, qui portait une barbe grise et marchait en faisant de grands pas avec ses longues jambes. Il s'avança vers Amin, l'air concerné. Puis, on vit le garçon pointer le doigt dans la direction du petit groupe. Le vieillard, qui les reconnut à son tour, ouvrit les bras tout grand en affichant un immense sourire.

— Ah, mes amis ! fit-il en les voyant. J'espérais de tout cœur que vous n'aviez pas quitté la région. Bonjour ! Bonjour à tous, fit-il encore en saluant tout d'abord Yoni, devant qui il s'inclina en signe de respect, puis les autres.

Avec familiarité, il se dirigea vers Mia qu'il prit dans ses bras et l'embrassa sur le front. Il caressa doucement les paupières de la jeune fille de ses pouces et agita la tête de gauche à droite, l'air très soucieux.

— Ma pauvre petite, tu es bien jeune pour avoir tant de soucis. Déjà tu portes en toi l'âme d'une dame très sage, mais bien âgée. C'est la magie qui te consume.

— Tu es bon de te faire du souci pour moi, Nadir. Je suis touchée. Mais jamais je n'aurai un seul regret d'avoir perdu mes yeux. C'était pour sauver ma sœur, ajouta-t-elle en désignant Zara. Il le fallait absolument.

— Alors, je me suis peut-être trompé. C'est ton cœur extraordinaire qui te consume. Ceux que tu aimes ont beaucoup de chance.

Darhan regardait ce vieil homme qui s'adressait à sa sœur avec tant d'affection et d'intimité. Il lui était parfaitement inconnu. Et pourtant, tous l'accueillaient comme s'il s'agissait d'un membre de la famille. Tant de choses s'étaient passées depuis leur séparation. Tous ces paysages de Kachgar, le jeune guerrier les avait bien connus lorsqu'il s'était présenté pour la première fois avec l'armée de Gengis Khān. Il s'était caché dans le palais de l'intendant, dans la chambre qu'occupait alors Dötchi. Il avait dû fuir par la fenêtre, perdu au milieu des rues étroites de la ville. C'était ce matin-là qu'il avait été secouru par Zara. Et lui-même allait ensuite la secourir pour l'arracher à sa condition misérable.

Si son cœur se sentait bien, son esprit un peu confus cherchait à tout remettre en place. Il faudrait à sa mère et à ses sœurs de nombreuses et très longues soirées autour du feu pour lui raconter tout ce qui s'était passé depuis leur séparation. Lui-même en avait long à raconter. Par contre, certaines périodes plus noires, qui le plongeaient dans une angoisse extrême lorsqu'il se les remémorait, il les garderait pour lui seul, à tout jamais.

Un drame était survenu, cependant, qu'il ne put cacher à personne. Quand il redescendit de la montagne sous sa forme humaine et qu'il se présenta dans la cerisaie avec Zara à son bras, toute sa famille se précipita sur lui et pleura de joie. Lorsque la petite Yol s'inquiéta de Gekko, il ne put faire autrement que d'annoncer la mort du cheval, qui avait donné sa vie pour sauver l'âme de Kian'jan. Et cette fois, ils pleurèrent avec grand-peine la perte du fidèle compagnon.

L'esprit de Darhan était tout accaparé par ces réflexions lorsqu'il s'aperçut que le vieux Nadir le regardait. Le vieil apothicaire pouvait sentir les gens mieux que quiconque, comme s'il lisait à travers eux. Les esprits malhonnêtes et tordus, il pouvait les repérer instantanément et se prémunir de leurs méfaits avec les actions appropriées, tout comme les âmes les meilleures savaient faire naître de la lumière dans ses yeux aux contours ridés. Mais cette fois, devant ce jeune garçon aux traits durs vêtu d'une peau de loup, il demeurait interdit. Comme si, devant lui, se dressait une montagne dont il ne voyait pas le sommet.

— Je suis très honoré de vous rencontrer, jeune maître.

— Et moi de même, Nadir. Je partage tous les bons sentiments que ma famille a pour vous. Et je sais que j'ai une dette pour tout ce que vous avez fait.

– Je suis un homme âgé. J'ai laissé derrière moi bien des désirs. Ma seule et unique récompense est de vous voir réunis aujourd'hui.

Darhan baissa la tête, s'inclinant devant l'humilité de cet homme, devant cette âme millénaire qui vivait éternellement dans le vieil Afghan.

Lorsqu'on exposa à Nadir le projet de trouver du travail dans l'une des fermes des environs, celui-ci suggéra naturellement le hameau de Gor-han. Le fermier qui les y avait abrités avait vu ses bâtiments détruits par les mercenaires d'Ürgo. Il serait sûrement heureux de les revoir et de se voir offrir de l'aide.

* * *

Aussitôt que le grand aigle se fut envolé en emportant Zara avec lui dans le ciel, un vent effroyable s'était mis à souffler dans la cerisaie. Urgö et Li-li s'étaient alors enfuis et étaient disparus en compagnie de leurs gardes.

De toute cette pagaille, il n'était resté qu'un cheval. Darhan et les autres, s'en approchant, constatèrent bien vite qu'il s'agissait d'une bête assez mal élevée qu'il fallait tenir en respect. Le canasson n'avait pas de très bonnes pattes; elles étaient plutôt échancrées et le rendaient très mauvais au trot ou au galop. Par contre, il était fort et pouvait transporter de lourdes charges. On fixa sur lui la tente et les quelques couvertures qui appartenaient à la famille. On attacha aussi sur son dos le capitaine Souggïs qui, sans ses jambes, ne pouvait tenir que difficilement sur cette monture au caractère belliqueux et à la démarche ingrate. L'animal avait l'air d'une vieille bourrique. La petite Yol avait commencé à l'appeler « Fleur », ce qui ne lui allait pas du tout.

Le soleil était haut dans le ciel. Au fur et à mesure que la matinée avançait pour laisser place aux pires heures de la journée, les gens de Kachgar cessaient leurs activités. La chaleur devenait de plus en plus insoutenable, avec ce vent brûlant chargé des poussières de sable du désert. Ils reprendraient le travail lorsque l'astre perdrait de sa vigueur en fin de journée. La saison chaude s'était installée rapidement cette année. Tant que le vent se faisait discret, c'était tolérable. Mais lorsque celui-ci se mettait à souffler en tempête, alors là, il fallait courir aux abris et prier pour que les récoltes et les animaux ne soient pas perdus, étouffés dans le sable.

Lorsqu'ils se présentèrent au hameau de Gor-han, ils retrouvèrent les mêmes gens qui les avaient accueillis à bras ouverts. Ces derniers avaient encore frais en mémoire la fureur de Souggïs le cul-de-jatte qui avait chassé les mercenaires d'Ürgo. Ce fut à ce moment que Darhan et sa famille apprirent que Nadir leur avait préparé une surprise. Dès le lendemain de l'insurrection de Kachgar, après que le tyran eut été chassé de chez lui et sa maison brûlée, le peuple s'était affairé au partage des biens. Le vieil apothicaire, aimé et respecté de tous, avait réussi à récupérer, en compagnie du chef de Gor-han, une cinquantaine de moutons et huit chameaux.

C'est ainsi que, pour le plus grand bonheur de ses membres, la petite famille se vit offrir vingt-cinq moutons et un chameau.

– Cela ne compensera pas toutes les pertes et les souffrances que vous avez subies, dit Nadir. Plusieurs personnes ont beaucoup perdu à cause d'Ürgo. Mais peut-être cela vous permettra-t-il de recommencer l'élevage des moutons? C'est très peu, mais c'est le mieux que nous ayons pu faire.

C'était déjà plus qu'ils n'avaient espéré. Pendant que Yoni ne cessait de bénir Nadir pour sa bonté et sa grandeur d'âme, Darhan, qui s'était éloigné en remontant une colline, regardait déjà vers l'est.

* * *

C'était une nuit magnifique. Assis tous ensemble autour d'un feu, ils mangèrent sous les abricotiers qui déjà commençaient à rendre leurs fruits. Afin d'attirer sur eux la paix et la chance, Darhan tua un mouton qu'ils dépecèrent avec enthousiasme avant de le faire griller à la broche. Tous les habitants du hameau furent invités à venir partager ce repas avec eux. Ce fut un rare moment de bonheur, comme ils n'en avaient pas connu depuis plusieurs années.

Alors que tous commençaient à somnoler sous la tente ou à la belle étoile, enroulés dans des couvertures et la panse bien remplie de mouton rôti, Yoni alla s'asseoir aux côtés de son fils. Les braises crépitaient et Souggïs ronflait. Il avait tenu mordicus à ce qu'on le garde attaché sur Fleur, si bien qu'il dormait sur son dos, le visage appuyé contre la crinière du cheval, les deux bras pendant de chaque côté. La voix de Nadir se faisait entendre aussi. L'apothicaire racontait une histoire à Mia et Amin. La petite Yol était dans la tente et dormait en compagnie de Zara. Appuyée tout contre son fils, Yoni jouait avec les braises vives du bout d'un bâton qui s'enflammait et qu'elle éteignait ensuite en soufflant dessus. Elle répéta ce manège à plusieurs reprises. Ses épaules étaient recouvertes de la fourrure que Darhan portait habituellement sur son dos.

– Depuis que tu es revenu, ce matin, je ne t'ai pas vu enlever cette peau de loup.

– Je sais.

– C'est de la folie, Darhan, poursuivit-elle. Nous devrions attendre que l'enfant soit né avant d'entreprendre ce voyage à travers le désert. C'est une traversée dangereuse.

– Je veux qu'il naisse parmi l'herbe verdoyante de la steppe. Je veux que son esprit en soit imprégné. Je ne veux pas d'un enfant de Kachgar et du désert.

– Mais nous sommes en sécurité ici. Nous sommes entourés d'amis. Les gens de Gor-han vont nous protéger. C'est la saison chaude qui commence. Le désert sera brûlant. Pourquoi ne pas attendre un peu?

– Le désert de Taklamakan est un endroit maudit, peu importe la saison. Si nous attendons sa naissance, le bébé sera trop jeune pour faire la traversée et nous devrons patienter une année encore. Pour moi, il est en sécurité dans le ventre de Zara. C'est lorsqu'il sera au monde que nous aurons le plus à craindre. Nous avons un mois pour rentrer chez nous.

– Je ne crois pas que ce soit la meilleure décision, répéta Yoni.

– Ma décision est prise. Si nous partons sans tarder, l'enfant naîtra sur la terre de nos ancêtres. Il sera protégé.

– Mais que crains-tu donc, mon fils?

Il ne répondit pas.

Cette nuit-là, Yoni dormit au coin du feu, auprès de son fils. Celui-ci était devenu un homme. Ses épaules étaient larges. Son torse épais se soulevait tandis qu'il respirait d'un souffle lent et profond. Pas très loin, de l'autre côté du feu, le vieux Nadir dormait lui aussi. Le grand bonhomme s'était assoupi, recroquevillé sur lui-même comme un enfant. Mia et Amin discutaient encore malgré l'heure avancée.

– Comment fais-tu pour vivre sans tes yeux ? lui demanda-t-elle.

Le jeune garçon, qui ne savait ni voir ni parler, vivait dans un univers sensoriel tout à fait unique, fait de sons et de contacts physiques. Il parlait et s'exprimait en touchant les autres. Ainsi, il prit la main de Mia dans la sienne. Il bougea ses doigts délicatement en grattant le creux de la main de la jeune fille. Elle n'était pas sûre de comprendre tout ce que le garçon lui disait. Mais elle sentait très bien qu'il était en train de lui conter une magnifique histoire.

Ce soir-là, Mia comprit qu'à tout sacrifice, il y a une récompense. Elle avait perdu la vue, mais sa magie serait grande. Très grande.

* * *

En voyant le capitaine Hisham ouvrir la porte de la cabine, Wan-feï avait craint que son plan eût échoué. Si ce colosse était capable de battre une centaine de pirates de l'Ordos à lui tout seul, peut-être avait-il la faculté de digérer les poisons les plus mortels ? Si bien qu'il fut soulagé en apercevant son teint pâle, ses yeux rouges et son visage en sueur. Toutefois, malgré son extrême faiblesse, Hisham le frappa si violemment à la poitrine qu'il crut bien s'être fait défoncer le sternum. Ses hommes et lui avaient dû enfoncer la porte à coups de hache. Le poison faisait effet. Mais peut-être qu'une dose pour tuer un cheval n'était pas suffisante ? Peut-être aurait-il fallu lui en donner une capable de terrasser cent chevaux ! Wan-feï se prépara au pire, persuadé qu'ils n'arriveraient jamais à maîtriser ce barbare fou furieux. Il fut agréablement surpris lorsqu'il le vit saisir cette petite crapule de Subaï, briser la fenêtre arrière de la cabine et plonger dans les eaux agitées du fleuve Huang he.

Il crâna un instant en agitant la main en direction d'Hisham, lui souhaitant une mort imminente. Puis, très vite, il retourna sur le pont en compagnie de ses hommes. Il se demanda comment il pourrait convoyer cette jonque qui prenait de plus en plus de vitesse au fur et à mesure qu'elle quittait les canaux de navigation pour entrer dans le cours du grand fleuve Jaune, gonflé par les dernières pluies. Le bateau, à sec de toile, avait l'air d'une coquille de noix qu'on aurait échappée là. Plus de trois hommes devaient tenir le gouvernail pour empêcher le navire de partir dans toutes les directions. Il fallait arrêter cette cavalcade insensée qui risquait de mal se terminer. Le point de rendez-vous était proche. Lorsque Wan-feï aperçut la baie et ses eaux brunâtres, il décida d'y engager la jonque, plutôt que de s'exposer à un accident plus en aval. Ce fut avec tout le mal du monde que ces hommes parvinrent à jeter l'ancre et à immobiliser le bateau. Malgré son soulagement, le malheureux capitaine constata très vite que le bâtiment était dans une position précaire. La tempête avait cessé la veille, mais voilà qu'une autre se pointait avec de vilains vents d'est et des nuages chargés d'humidité marine.

— Vivement que nous fassions cette sata-née transaction et que nous quittions ce foutu bateau, dit Wan-feï à l'un de ses hommes. Je suis un soldat, moi. Pas un pirate.

L'homme, un soldat Jin de petite taille aux bras immenses qui le faisaient ressembler à un singe, acquiesça nerveusement. Lui aussi craignait le vent qui se levait et regardait avec inquiétude les eaux noires du large qui se soulevaient en immenses vagues surmontées d'écume blanche.

– Peut-être qu'il faudrait aller sur la berge et se mettre à leur recherche.

– Nous enfreindrions les ordres. Les Song nous le reprocheraient si ça devait échouer. Ce trésor a une valeur inestimable. Nous le paierions de nos vies. Ils ont des espions qui patrouillent sur la rive sud du fleuve. Ils savent que la jonque doit y passer, en route vers Keifeng. Soyons patients. Espérons seulement que cette tempête nous épargne un peu cette nuit, et que ce foutu canard chante très bientôt.

La soirée et la nuit furent très angoissantes pour Wan-feï et ses hommes. Le vent ne cessait de gagner en intensité, et la jonque, qui ne tenait que par son ancre, s'agitait, poussée par les bourrasques et par les vagues du large terminant leur course au fond de la baie. Vers la fin de la nuit, le vent tomba. Ce qui les soulagea. Mais eux qui n'étaient pas marins ni ne savaient lire le temps ne pouvaient se douter que le vent allait tourner pour souffler de plus belle depuis l'ouest. Poussée dans la baie vaseuse parmi les quenouilles, la jonque risquait de s'enliser complètement.

Mais cette heure n'était pas encore venue. Et la nuit s'achevant, le vent était pratiquement tombé. Ce fut alors que se fit entendre le chant très distinct d'un canard. Un caquètement en trois temps :

– Coin ! Coin ! Coin !

De grands sourires apparurent sur les visages de Wan-feï et de ses hommes. Ils allaient enfin pouvoir décharger la cargaison, toucher les sommes faramineuses pour lesquelles ils s'étaient engagés et couler des jours heureux dans le sud du continent.

– Eh bien, messieurs, fit Wan-feï, nous voilà tout près du but.

Ils mirent à l'eau une embarcation, une petite barque de rien du tout qui pouvait à peine loger quatre passagers. Celle-ci demeurait reliée au bateau par un câble dont l'autre extrémité serait attachée à la berge. Ainsi, il serait possible de faire plusieurs allers et retours pour débarquer le trésor du roi Aïzong.

Ce fut le soldat aux allures de singe qui fut chargé de cette mission. En arrivant sur la berge, il trouva trois individus à l'air très louche, avec leurs têtes recouvertes de grands capuchons qui camouflaient leurs visages. Il y avait un homme qui avait à peu près sa taille, un autre, petit comme un enfant, et le troisième, tout simplement immense. Si l'homme de Wan-feï ne pouvait se douter que le premier était l'esclave rameur disparu, il reconnut les autres à leur physionomie. Il fut terrorisé.

– Alerte ! hurla-t-il à pleins poumons. Alerte !

Très vite, le poing immense d'Hisham lui tomba sur la tête et il perdit connaissance en s'étalant dans les roseaux. Mais l'alarme était donnée. Wan-feï, depuis la jonque, les reconnut à son tour, après s'être frotté les yeux à plusieurs reprises comme s'il ne croyait pas qu'une chose pareille fût possible. Puis, il réagit au quart de tour en criant ses ordres. On leva l'ancre, coupa la corde et hissa les lourdes voiles de la jonque. Ses hommes, effrayés à l'idée de devoir en découdre avec Hisham le Perse, s'attelèrent à la tâche avec une rapidité et une dextérité étonnantes.

– Ha! ha! ha! fit le traître en leur envoyant la main. Salut, les poireaux! Vous ne viendrez jamais à bout de Wan-feï !

Les trois comparses constatèrent avec dépit que leur plan avait échoué. Au moins, ils avaient réussi à retarder le moment de l'échange, à défaut de mettre la main sur la cargaison. Ils regardèrent sans bouger la jonque qui s'éloignait, propulsée par la petite brise qui soufflait depuis l'est et gonflait majestueusement les voiles.

– Et qu'est-ce qu'on fait, maintenant? demanda Subaï.

– On pourrait essayer de la rattraper avec la barque, répondit Hisham.

– Non, ce serait de la folie, raisonna Ji Kung. Nous serions emportés par le courant.

Wan-feï était debout sur le bastingage du navire. Il avait une main sur la hanche et saluait toujours de l'autre en affichant son air le plus détestable.

Ce fut à ce moment précis que le vent changea de direction.

Le choc fut brutal, et le gréement donna l'impression de vouloir s'arracher. Wan-feï constata avec horreur que les voiles s'étaient renversées, gonflées dans l'autre sens par un vent qui soufflait depuis l'ouest. Il y avait trop de toile, et la jonque, qui gîtait fortement sur tribord, avait viré de quatre-vingt-dix degrés et dérivait rapidement vers la vase et les quenouilles.

– Bwahaha ! s'esclaffa Subaï, les deux bras en l'air en signe de victoire. Wan-feï, espèce de crétin ! On va te prendre comme un lapin !

Hisham se frottait les mains de satisfaction. Ils sautèrent tous les trois dans la barque et commencèrent à pagayer en direction de la jonque qui n'était plus qu'à quelques mètres. Les craintes de Ji Kung se confirmèrent lorsqu'elle commença à toucher les fonds vaseux.

– Une fois sur le bateau, dit-il, il faudra aller directement sur les voiles, maître Hisham. Ne vous occupez pas de Wan-feï. Ce crâneur est un peureux, il n'osera pas vous approcher. Il faut absolument réorienter ce bateau, sinon ce sera l'échouage complet.

Ils abordèrent le navire par l'arrière, à tribord, puis s'y hissèrent en escaladant le gouvernail. Subaï fut sur le pont en un rien de temps, suivi d'Hisham et de Ji Kung. Wan-feï, qui craignait plus que tout la colère du Perse, s'était réfugié à la proue en compagnie de ses hommes.

Mais Hisham ne les chargea pas. Sur les consignes de Ji, il défit les écoutes, ces grandes cordes qui pendaient depuis les lattes de la grande voile. Grâce à sa puissance physique, il réduisit la voilure pour affronter convenablement ce vent d'ouest qui ne cessait de gagner en intensité. La jonque pivota, Subaï braquant le gouvernail, et elle fut attaquée par le vent à bâbord. Lentement, on sentit le navire qui, les voiles bien orientées, cherchait à s'arracher à la vase.

Sur la rive, une vingtaine d'hommes aux visages camouflés, portant des habits de mercenaires, arrivèrent sur des chevaux nerveux qui piaffaient dans la boue. À n'en pas douter, c'étaient les guerriers Song qui venaient prendre possession du trésor du roi Aïzong. Ils assistèrent à l'escalade des trois compagnons le long du gouvernail. Et ils ne purent que constater, impuissants, l'échec de leur entreprise, en voyant la jonque filer sur son erre d'aller et se braquer dans les vagues en s'éloignant vers le large. Ils disparurent en affichant leur dépit, sous les cris triomphants de Subaï qui donna un spectacle semblable à celui que Wan-feï leur avait servi plus tôt.

Hisham ne s'était pas occupé des cavaliers. Une fois le navire en route, il s'était placé de manière à faire face à Wan-feï et à ses hommes, bien décidé à leur faire payer chèrement leur trahison. Le Perse saisit une hache qu'on attachait en permanence contre le mât principal, et marcha d'un pas lourd dans leur direction.

Wan-feï fit tout de même preuve d'un certain courage. Il brandit la lame de son épée devant lui en serrant les dents.

– En avant, mes hommes ! cria-t-il d'une voix incertaine. Nous défendrons hardiment notre peau. Ils ne nous auront pas vivants !

Il se retourna pour voir ses soldats qui l'abandonnaient en plongeant par-dessus bord, quitte à se noyer dans les eaux froides du Huang he, plutôt que d'affronter le terrible Perse.

Wan-feï, après avoir balbutié qu'ils étaient tous des lâches et qu'ils allaient lui payer ça, jeta son épée en signe de soumission.

– Alors, qu'est-ce qu'on va faire de lui ? demanda Subaï qui s'était approché nonchalamment.

– Je ne sais pas, répondit Hisham. Qu'est-ce que t'en penses ?

– On va faire comme on fait d'habitude : le manger…

– Je suis bien d'accord. Je commence à avoir faim, moi.

Wan-feï devint extrêmement confus. Ses jambes molles et tremblotantes arrivaient à peine à le supporter.

– Mais… mais qu'est-ce que vous racontez ?

– On va te bouffer, mon gars, lui lança Subaï. Tu connais l'empereur Gengis Khān qui fait cuire ses ennemis après la bataille. Ne me dis pas que tu n'as jamais entendu dire que les Mongols mangeaient leurs ennemis ? !

– Désolé, mais c'est comme ça qu'on fait chez les barbares, ajouta Hisham. Tu seras découpé en morceaux et passé à la marmite.

Wan-feï avala sa salive à plusieurs reprises. De blême qu'il était, son visage passa au vert. Derrière lui, le ciel menaçant se noircissait sans cesse, tandis que la jonque tanguait en s'agitant sous la forte houle. Il dut s'appuyer au mât de misaine pour ne pas tomber.

– Voyons les gars, c'est une blague, n'est-ce pas ? C'est pas sérieux. Vous n'allez pas me manger !

Hisham le Perse passa derrière lui pour lui immobiliser les bras dans le dos. Du genou, il poussa dans les reins de ce pauvre Wan-feï qui vit son ventre se tendre, tandis que Subaï, couteau en main, avançait avec les yeux d'un sadique affamé.

Wan-feï hurla d'épouvante.

CHAPITRE 3

Les enfants du désert

Voilà trois jours qu'ils avaient quitté Kachgar. Malgré l'insistance de Yoni et les mises en garde du vieux Nadir, Darhan n'avait eu aucune difficulté à convaincre les autres de partir. Les grands cours d'eau et les collines verdoyantes commençaient à leur manquer. Le mal du pays se faisait sentir. La majorité décida de partir au plus vite. Mais Yoni n'allait pas abandonner.

– Et Zara ? Qu'est-ce qu'elle en pense ? Il me semble que c'est elle qui devrait avoir le dernier mot. C'est de son bien-être dont il est question.

– Je suis désolée, avait répondu celle-ci, mais je veux partir aussi. Kachgar ne représente pour moi que malheur et souffrance. Toute ma vie, j'ai été une esclave et j'ai rêvé de quitter cet endroit. Plus rien ne me retient ici. Mon bonheur se trouve de l'autre côté du désert, sur les rives du fleuve Orkhon. Je veux que mon enfant y voie le jour.

Et ainsi, la mère de Darhan finit par se laisser convaincre.

Ils partirent très tôt le matin, alors que le soleil n'était pas encore levé. Ils cheminèrent jusqu'au milieu de la matinée, puis s'arrêtèrent sur le flanc nord d'une montagne où poussait une herbe rêche, mais abondante, qui fit la joie du bétail. Ils prirent un repas, puis firent une très longue sieste, tandis que Souggïs s'assurait que le troupeau ne se disperse pas. Le capitaine passait ses journées sur le dos de Fleur qui courait dans tous les sens, obéissant aux commandes du bouillant soldat. Ils reprirent la route une fois que le jour fut bien avancé et que le soleil eut amorcé sa descente à l'ouest. Leur marche dura jusqu'à ce que la nuit soit tout à fait tombée. Ils la reprirent avant le lever du soleil, le jour suivant.

C'était là l'horaire qu'ils allaient s'imposer tout au long de ce voyage, afin d'éviter les heures trop chaudes. Marcher sous un soleil de plomb, en cette période de l'année, était pratiquement impossible, voire extrêmement dangereux.

Les trois premiers jours de ce périple les menèrent de caravansérail en caravansérail. Dans ces oasis habitées où se rencontraient les voyageurs nomades pour prendre du repos et discuter, ils purent recueillir quelques informations sur le chemin à venir. Si les nouvelles de la route qui traversait le désert étaient bonnes, celles qui concernaient la voie des montagnes étaient décourageantes. Des tribus de pillards qarluq y semaient la terreur. Ils avaient attaqué plusieurs grandes caravanes. Des marchands réunis autour d'une fontaine du caravansérail de Toxkan pestaient contre le khān, trop occupé à faire la guerre aux royaumes étrangers de Chine ou du Moyen-Orient pour s'occuper des bandits qui sillonnaient son immense empire.

C'est avec dépit que Darhan rapporta les nouvelles de la fontaine. Accompagnés de leur petit troupeau de moutons, sa famille et lui avaient l'intention d'emprunter la route qui suivait les monts Tian Shan afin que les bêtes ne manquent pas de nourriture. La route du désert aride pouvait leur être fatale. À quoi bon retourner à la maison avec la moitié d'un troupeau, dont les survivants seraient des bêtes faibles et malades, à la laine mauvaise et au lait si pauvre qu'on ne pourrait rien en tirer?

Mais pour l'instant, il n'y avait pas de meilleure solution: ils devaient poursuivre par la route des montagnes, en espérant que les pillards qarluq ne croisent pas leur chemin. Ils dépassèrent quelques villages montagnards avant de laisser derrière eux, pour une longue période, toute trace de civilisation, à l'exception de quelques familles de bergers nomades avec qui ils échangèrent des informations : des Qarluq étaient passés trois jours auparavant.

Le soir, ils ne prenaient pas la peine de monter la tente, se contentant des couvertures, et passaient la nuit autour du feu, à la belle étoile. Souggïs, qui semblait désormais considérer Fleur comme un prolongement de son propre corps, demeurait en retrait et montait la garde. À le voir aller ainsi jour et nuit sur sa monture qu'il ne quittait plus, on aurait pu croire qu'il était une créature sortie tout droit d'un conte fantastique : mi-homme mi-cheval.

Le jour n'était pas encore terminé et ils reprenaient leur chemin avec des gestes lents, les yeux lourds de sommeil. Un beau matin, après plus d'une semaine et demie de ce périple, Souggïs donna l'alerte.

Après avoir signalé qu'il était l'heure de partir, le capitaine avait pris l'habitude de prendre un peu d'avance pour faire l'éclaireur. En général, ils le retrouvaient en chemin au lever du jour. Il répétait son manège au soleil couchant. Et à la nuit tombée, ils savaient que c'était à l'endroit où ils le rejoignaient qu'ils allaient camper. Souggïs ne prenait le temps de dormir que pendant la pause de la journée, alors que le soleil était à son zénith. Il demeurait assis sur Fleur, avec une grande couverture sur la tête qui le recouvrait complètement, le faisant ressembler à un fantôme.

Un beau jour, Yoni s'approcha de lui alors que le soleil était particulièrement agressif et que les pierres brûlantes rendaient tout déplacement impossible. Elle l'observa, lui qui était toujours immobile sous sa couverture.

— Euh… excusez-moi, Souggïs?

— Oui, Yoni, je suis là. Pardonnez-moi de ne pas vous avoir entendue approcher, je dormais.

— Vous n'avez pas chaud là-dessous?

— Je vous remercie de votre sollicitude, répondit celui-ci sans se découvrir. Mais c'est Fleur qui décidera s'il faut se mettre à l'ombre ou non. Quant à moi, je suis à l'aise partout où va ce cheval et je m'en accommode très bien.

— Mais vous devez crever de chaleur. Vous allez mourir d'une insolation. C'est insensé.

— Vous savez, Yoni, j'ai été élevé par un oncle qui était un célèbre forgeron. Il a forgé des épées pour les plus grands chefs de tribus mongoles. Et tout petit, j'ai appris à alimenter le feu et à m'assurer que les braises étaient toujours bien chaudes pour faire rougir le métal. Cette exposition constante, en bas âge, à des températures si élevées a fait en sorte que j'ai acquis une résistance exceptionnelle à la chaleur.

Yoni préféra ne pas discuter davantage avec l'extravagant capitaine et alla retrouver Mia et Zara, à l'ombre d'un rocher. Elles lui racontèrent la traversée des montagnes qui les avaient menées à Kachgar. Souggïs, avant son amputation, avait eu les jambes broyées, et il avait dû passer beaucoup de temps dans un traîneau par des froids extrêmes. Il leur avait relaté une histoire toute différente. Son oncle, le forgeron, l'aurait élevé dans le nord des plaines sibériennes. Ils auraient chassé de grands troupeaux de rennes durant des semaines. Cette activité exigeante l'aurait rendu insensible au froid.

Yoni agita la tête de gauche à droite en observant Souggïs sous son drap. Évidemment, le capitaine faisait le fier, et aucune de ses histoires n'était vraie.

Ainsi, c'était la première fois, depuis le début de ce voyage, qu'ils virent Souggïs revenir vers eux, avant même que le soleil ne soit levé. Tout le mode devint excessivement nerveux, sachant que ça ne pouvait être pour leur annoncer de bonnes nouvelles. Darhan marchait devant en tenant la bride du chameau qui transportait Zara, assise avec leurs effets personnels. Derrière, Yoni, Mia et Yol suivaient en s'assurant que le troupeau de moutons garde le rang et qu'aucune bête ne s'éloigne.

Souggïs arrêta Fleur devant Darhan.

– Le cours d'eau est bien là, dit-il en parlant avec un fort débit. Les montagnards ne nous ont pas induits en erreur. C'est une rivière assez large qui coule dans une vallée de pierres blanches. Par contre, il y a déjà du monde.

– Du monde ? fit Darhan, soucieux. Des éleveurs ?

– Non, je crains que ce ne soient pas des éleveurs. Ils sont une trentaine environ, et je n'ai vu aucune bête, sinon des chevaux et des armures.

– Ce sont peut-être des Mongols ou des Naïman ?

– Je suis désolé. J'aimerais bien vous dire que c'est le cas. Mais j'ai bien peur que ce soient les pillards qarluq, tel que nous le craignions. J'ai reconnu la croix des nestoriens. L'endroit ressemble à une base arrière où ils empilent les trésors qu'ils chapardent aux grandes caravanes.

Yoni se joignit à eux, et ils discutèrent de la possibilité de passer plus au nord. C'était une façon d'éviter les brigands, mais ils s'enfonceraient encore plus en territoire qarluq, ce qui augmentait les risques de rencontrer d'autres groupes de pillards.

Au terme de leurs palabres, il leur sembla qu'il valait mieux tenter de remonter plus haut dans les montagnes. Ça les ralentirait considérablement. Mais c'étaient les moutons qu'il fallait préserver. Le désert allait les griller. Ils en étaient à ces conclusions lorsque la petite Yol hurla d'effroi, à leur en glacer le sang.

Au loin, sur la route, des hommes à cheval galopaient à fond de train dans leur direction. Ils étaient encore loin, mais ils ne ressemblaient pas à des voyageurs. Très vite, il devint évident que c'était une patrouille de soldats qui les avait repérés.

— Tout le monde reste derrière, dit Darhan. Et surtout toi, Souggïs.

— Je n'ai pas peur de cinq hommes, fit promptement le capitaine, prêt au combat.

— Là n'est pas la question. Range ton épée. Nous ne voulons pas nous battre. Je vais m'avancer vers eux et essayer de parlementer pour négocier notre passage.

Après avoir émis ces recommandations, le jeune guerrier partit d'un pas décidé en remontant la peau de loup sur sa tête ; seul son visage était visible entre les mâchoires de l'animal.

Le soleil se levait à peine et un vent léger commençait à souffler en agitant les quelques brins d'herbe qui parvenaient à pousser encore en cette saison. Darhan avançait au beau milieu du chemin. Il aurait pu laisser la peau derrière lui pour afficher un air moins menaçant. Mais il voulait que ces types comprennent à qui ils avaient affaire, et que ce serait mieux pour tout le monde si on le laissait passer avec sa famille. Il voulait se montrer ferme, mais, si c'était nécessaire, il offrirait un mouton en guise de paiement.

C'étaient en effet des Qarluq. Souggïs avait vu juste. À la manière dont ils étaient armés, avec leurs vêtements sales, nul doute qu'ils étaient sur le sentier de la guerre. Trois d'entre eux stoppèrent leurs montures quelques mètres devant Darhan, la brise lui soufflant la poussière au visage. Les deux autres tournèrent autour de lui un moment avant d'arrêter leurs chevaux à sa gauche et à sa droite. Aucun mot ne fut échangé ; tout le monde s'observait avec méfiance. Darhan douta que son marché puisse fonctionner. De la façon dont ces cinq gars l'abordaient, nul doute qu'ils étaient des rustres. Et ils avaient l'air de parfaits imbéciles.

C'étaient des brutes, pas très intelligentes, mais prudentes. Malgré son jeune âge, Darhan, avec sa peau de loup de champion, avait l'air redoutable. Ça tenait aussi à ses yeux noirs qui semblaient vous aspirer quand il vous regardait, à ses épaules larges et à ses gestes fluides qui le faisaient ressembler à un félin. Mais ça tenait surtout à son calme tout à fait exceptionnel dans une situation qui aurait rendu n'importe qui extrêmement nerveux.

Finalement, voyant que le garçon à la peau de loup ne parlerait pas, l'un des cinq, plus trapu que les autres, aux mains épaisses et au front très large et dégarni, l'aborda d'une voix forte :

— Tu es sur le territoire du seigneur de guerre Muktar !

— Je croyais que ces terres étaient celles de Gengis Khān, répondit Darhan.

Ces propos choquèrent son interlocuteur qui serra les lèvres et fronça les sourcils.

C'était de la provocation. Darhan le savait. La politesse aurait dû lui faire concéder ces terres à ce Muktar. Mais il voyait bien qu'il lui serait très difficile de négocier son passage avec ces gredins. Il voulait absolument que ces types comprennent qu'il était un guerrier de l'empereur, qu'ils sentent son intransigeance, quitte à les effrayer un tout petit peu. Mais il ne voulait pas se battre.

— Les nouvelles ne sont pas parvenues jusqu'à toi, à ce que je vois, fit le belliqueux. Ton Gengis Khān est mort. Son corps est en chemin vers Karakorum depuis le royaume tangut.

Darhan ne montra aucune émotion en apprenant cette nouvelle. Son visage demeura impassible pour ne laisser voir aucune faiblesse devant son adversaire. Par contre, à l'intérieur, il ressentit une grande inquiétude, car cette mort était de très mauvais augure. Il se rappelait les paroles menaçantes qu'avait prononcées Djin-ko dans les montagnes de l'Himalaya, alors qu'il cheminait vers le monastère. Les esprits ne lui pardonneraient pas de s'être détourné du destin qu'ils avaient tracé pour lui. Le jeune guerrier cherchait maintenant à savoir si ces hommes croisaient son chemin par hasard, ou s'ils étaient les instruments des esprits. Il ne le croyait pas. La vengeance de Djin-ko ne passerait pas par eux. Mais bientôt, il allait se rendre compte de son erreur et regretterait amèrement de ne pas s'être attaqué dès le début à ces mercenaires qarluq.

— Nous refusons de reconnaître le nou veau khān, dit le trapu. Nous réclamons que les Qarluq soient reconnus comme un peuple distinct, et que le seigneur Muktar siège au Kuriltaï. Tant que nos demandes ne seront pas entendues à Karakorum, nous continuerons à piller les caravanes et à nuire au commerce.

Darhan songea que le seigneur Muktar, ce montagnard, avait peut-être passé trop de temps dans le désert et que le soleil lui avait brûlé la tête. Si Gengis Khān avait été un homme rigide et inflexible tout au long de sa vie, le Qarluq ferait très vite la connaissance du fils du khān, Ögödei, qui était capable d'une cruauté encore plus exacerbée. Si ces pillages incessants des grandes caravanes qui assuraient les échanges commerciaux entre les pays perses et l'Extrême-Orient se poursuivaient, le seigneur Muktar allait passer à la casserole et ferait le régal des charognards du Taklamakan.

– Nous avons une longue route à faire. Nous aimerions négocier notre passage, fit Darhan sur un ton conciliant, tout en sachant que c'était peine perdue.

– Tu veux négocier ? fit l'autre avec dédain. Tu oses négocier avec Muktar, seigneur de guerre ?!

– Nous voulons seulement rentrer chez nous.

– Eh bien, je vais te les dire, moi, les conditions. Il t'en coûtera ton chameau, tes moutons et tes trois femmes. Tu peux garder l'autre abruti sur son canasson.

Le visage de Darhan se durcit. Ses yeux devinrent encore plus sombres, comme deux trous noirs infinis.

– Si vous aviez été raisonnable, je vous aurais offert une bête. Mais maintenant je n'offre plus rien.

— Tu n'as rien à offrir, gamin. Ici, tout nous appartient. Quand nous en aurons fini avec toi, tu quitteras ces terres dans ton sous-vêtement, et rien d'autre !

L'un des hommes sur sa droite s'élança vers lui en cherchant à le prendre à revers. Darhan évita sa monture qui passa tout droit. Sa première impression avait été la bonne. Ces gars-là n'avaient jamais eu d'autres intentions que de l'assassiner. Un autre cavalier fonça vers lui. Cette fois, il ne bougea qu'à la dernière seconde, se baissant pour éviter la lame d'une épée qui siffla au-dessus de sa tête. À la vitesse de l'éclair, il saisit l'homme à la jambe et le fit basculer en le jetant brutalement sur le sol, puis se hissa à sa place sur le dos du cheval. Le bandit qarluq ne comprit jamais ce qui s'était passé. Il roula sur les pierres du sol en se tordant de douleur, la main sur sa hanche gauche qui s'était brisée.

Les hommes de Muktar bataillaient dur pour maîtriser leurs chevaux qui s'énervaient en sentant la puissante énergie se dégager du guerrier à tête de loup.

La monture était parfaitement immobile sous lui, comme si elle se soumettait totalement à son nouveau maître. Darhan tenait la lame de son épée tout près de son visage en la pointant dans la direction de ses agresseurs. Un autre Qarluq tenta sa chance, plus par étourderie que par courage véritable. Habilement, Darhan manœuvra pour que son cheval vienne se placer cul à tête avec celui de son opposant. D'un geste fulgurant, il posa sa lame sur la gorge du pauvre type qui afficha un regard horrifié en comprenant sa méprise.

– Calme ton cheval, lui dit Darhan. Calme ton cheval, sinon tu auras la gorge tranchée.

L'homme, qui n'arrivait pas à tranquilliser son animal, commença à paniquer en sentant la lame qui s'appuyait de plus en plus fort sur sa gorge, chaque fois que sa monture faisait un écart. Ce fut Darhan qui posa sa main sur le cheval. Ce dernier se calma aussitôt et devint encore plus doux qu'un agneau. Il le laissa aller. Le bandit retourna vers les siens en se tenant la gorge d'une main.

Les cinq Qarluq comprirent qu'ils avaient affaire à un champion qui pouvait les mettre en pièces. Ils hissèrent leur compagnon à la hanche brisée derrière l'un des cavaliers, puis détalèrent au galop sans demander leur reste. Ils disparurent au bout de la route, s'enfonçant dans la vallée que baignait cette rivière aux pierres blanches qu'avait mentionnée Souggïs.

Darhan rejoignit sa famille sans tarder.

– Dépêchez-vous! Il faut y aller avant qu'ils ne reviennent avec du renfort.

Il sauta à bas du cheval, puis le frappa sur la croupe. L'animal bondit en avant, retournant d'où il était venu.

– Pourquoi ne pas avoir gardé la monture? demanda Souggïs. Elle nous aurait été utile.

– Et alors, nous serions devenus des voleurs de chevaux! répliqua Darhan. Un crime passible de la peine de mort. Le seigneur Muktar et ses hommes nous auraient pris en chasse et personne n'aurait pu les empêcher de nous exécuter.

– Ils n'ont pas l'air terrible, les guerriers du seigneur Muktar, se moqua Souggïs.

– Je n'ai pas l'intention de voir déferler trente guerriers qarluq sur ma famille. Il faut partir.

Souggïs regarda ce jeune homme qui lui parlait avec sagesse. Il acquiesça de la tête, comprenant ce jour-là qu'il s'était trouvé un maître à servir, auquel il pouvait remettre, en toute confiance, son corps et son âme de soldat.

Sans s'attarder un instant de plus, ils quittèrent la route en direction du désert. Même s'ils ne l'avaient pas souhaité, même si cela signifiait de lourdes pertes pour le petit troupeau. C'était, à leur avis, la meilleure solution puisque, dorénavant, la route des montagnes leur était interdite.

* * *

Évidemment, Subaï et Hisham ne mangèrent pas Wan-feï. Après l'avoir attaché sur un grand bâton, qu'ils déposèrent au-dessus des braises chaudes comme s'ils allaient le faire rôtir comme un cochon, ils se montrèrent satisfaits seulement des cris d'horreur que poussa le traître en implorant maintes fois leur pardon.

Après s'être lassé de l'entendre gémir, Subaï affirma qu'il ne mangeait pas les gars dans son genre. Qu'il hésiterait même à le jeter aux charognards.

– J'aurais peur que tu empoisonnes ces pauvres bestioles.

Ce fut ainsi qu'après deux jours d'une navigation difficile, mais portés par des vents d'ouest favorables et le courant qui les menait vers l'est, ils virent se dessiner au loin les murailles de l'immense cité de Keifeng.

La ville, qui avait été pendant longtemps la capitale du puissant royaume Song, était passée aux mains des Jin une centaine d'années auparavant. Le roi Jin, Aïzong, dont les ancêtres avaient toujours résidé à Pékin, avait fait de

Keifeng sa nouvelle capitale après les invasions mongoles qui avaient déferlé sur son pays. Très vite, la grande cité impériale de Pékin, située trop près de la frontière, était devenue vulnérable et on préféra déménager la famille royale et l'administration du royaume dans la prospère Keifeng. Seulement, voilà, les choses n'étaient plus comme avant pour le royaume Jin qui avait été, au siècle précédent, la plus puissante machine militaire d'Orient.

Ögödei Khān se préparait maintenant à envahir le royaume depuis le nord. Et les Song exerçaient de fortes pressions au sud, bien décidés à ne pas tout laisser aux Mongols et à reprendre cette ville qui faisait autrefois leur fierté.

Subaï croyait avoir tout vu à Samarkand. Il ne pensait pas qu'il pût exister de plus grande capitale que la perle de l'Asie centrale, sise au confluent de tant de civilisations millénaires. Mais lorsqu'il vit Keifeng, il en eut le souffle coupé. Il demeura longuement à la proue du navire, regardant les bâtiments qui s'étiraient à l'infini dans la grande plaine du Huang he. Comment pouvait-il y avoir autant de monde au même endroit ? Cela semblait irréel. Combien d'hommes avait-il fallu pour construire cette immense muraille qui encerclait la ville ? Et pour la protéger des assauts de quel géant ces immenses portes en gardaient-elles l'accès? Ces portes étaient d'une dimension telle qu'on aurait dit des palais.

Le port, en soi, était déjà phénoménal. Il s'étirait au fond d'une baie sur plus d'un kilomètre à travers un réseau complexe de lagunes artificielles donnant accès à des canaux qui sillonnaient la ville et assuraient le transport des marchandises en tout point de la cité.

– Et que pensez-vous de Keifeng, maître Subaï? questionna Ji Kung qui s'était approché. N'est-ce pas formidable?

– C'est incroyable! fit le petit voleur de Karakorum avec enthousiasme. J'ai entendu de nombreuses histoires, racontées par des guerriers mongols et vantant les prodigieuses cités chinoises. Mais il fallait le voir pour le croire. Qu'est-ce que je vois là-bas, sur cette rivière? On dirait…

– C'est le pont de la rivière Bian. Nous l'appelons « arc-en-ciel » parce qu'il en a la forme.

Ce formidable pont de bois, aussi large que long, était appuyé sur deux immenses bases de pierres cimentées. Il s'élevait en un demi-cercle au-dessus de la rivière. Il était traversé par de nombreux piétons, mais aussi par des cavaliers, des carrosses et même un troupeau de bœufs.

Des bateaux, des jonques et des péniches allaient et venaient sous la structure.

Subaï remarqua une tour qui s'élevait au centre de la ville. C'était la première fois qu'il voyait une construction de cette envergure. Ji Kung expliqua que c'était la pagode de fer, construite à l'époque où les Song occupaient la cité. De forme octogonale, elle s'élevait sur treize étages. Et ainsi continua leur exploration des merveilles de Keifeng. Plus loin, cette grande roue qui tournait était un moulin à eau qui servait à moudre le grain, à scier le bois ou à pomper de l'eau dans les endroits les plus reculés de la ville. On dit qu'avec près de sept cent mille habitants, Keifeng était la plus grande ville du monde au XIe siècle. Si elle avait perdu de sa prestance après que les Song eurent été contraints de l'abandonner aux mains des Jin, elle demeurait encore l'un des principaux pôles de l'activité économique du continent. Et maintenant, elle était la nouvelle capitale du roi Aïzong.

Plus ils approchaient du port, plus ils étaient contraints de manœuvrer. N'ayant personne à mettre aux rames, il fallut tenter une approche à force de voile. Une manière délicate de procéder pour nos marins inexpérimentés, et qui causa de nombreux accrochages avec d'autres bateaux.

Hisham à la barre, derrière, naviguait à l'aveuglette, guidé par Subaï et Ji Kung. Des ordres contradictoires fusaient de toute part, et le Perse ne savait plus de quel côté pousser.

– À tribord ! criait Ji Kung.

– Non, à bâbord ! faisait Subaï. Oh ! Et puis, zut ! On l'a frappée, cette péniche. C'est la troisième.

Et Hisham grognait en donnant des coups de barre toujours plus puissants, ce qui n'arrangeait rien.

La jonque armée avait une étrave en bois massif recouvert de métal, ce qui lui permettait de fendre les bateaux ennemis. Les petits transporteurs qui ne pouvaient éviter le bateau fou furent coulés devant Keifeng.

Ces manœuvres, cavalières de la part d'un bateau de cette envergure, n'échappèrent pas aux autorités du port. On pensa que le capitaine était soûl, ou alors qu'il était complètement cinglé. Alors que la jonque longeait le quai principal devant la grande porte de la ville, après avoir embouti un traversier rempli de passagers, Ji Kung et Subaï lancèrent les amarres sous les cris d'une foule en colère qui jurait qu'elle aurait la peau du pilote.

– Vous êtes en état d'arrestation ! cria le maître de port. Nous allons saisir votre bateau et sa cargaison.

Ji Kung tenta d'expliquer que ce bateau appartenait à Sa Majesté le roi Aïzong dont il était le serviteur personnel. Mais le maître de port, en bureaucrate averti, refusa de l'entendre et ordonna la saisie immédiate du navire. On déposa une passerelle et on envoya des gardes. La foule hurlait, mais, très vite, on vit les gardes tourner les talons et s'enfuir en courant. Et la population amassée recula de quelques pas en découvrant ce barbu hurlant qui s'avançait sur la jonque en jurant qu'on ne l'aurait pas vivant.

Constatant que ses hommes et lui ne viendraient pas à bout de l'équipage, le maître de port leur demanda ce qu'ils voulaient. Cette fois, il laissa son interlocuteur s'expliquer :

– Faites dire à l'intendant du palais que Ji Kung est de retour. Si ce message parvient jusqu'à lui, il y aura certainement de l'avancement pour un maître de port.

Le ton sur lequel s'exprimait Ji Kung n'échappa pas, cette fois, au fonctionnaire. Ses accents étaient ceux des hommes habitués de fréquenter la cour royale. De « l'avancement pour un maître de port », c'était occuper un poste encore plus élevé au ministère du Commerce, et plus de possibilités de s'enrichir avec les pots-de-vin. Voilà qui n'était pas pour déplaire à ce bureaucrate. Il décida d'aller transmettre le message lui-même au palais royal.

Au bout d'une heure, l'intendant du palais se présenta en personne à la jonque, accompagné d'une centaine de gardes royaux qui dispersèrent la foule. Ce déploiement extraordinaire fit la joie du maître de port qui se félicita d'avoir fait confiance à son instinct.

De grands chars tirés par des bœufs furent chargés d'une grande quantité de caisses, de tonneaux et de jarres. Tout le monde s'étonna qu'on accorde autant d'importance à un chargement de poisson fermenté et d'épices.

Alors qu'ils franchissaient l'une de ces grandes portes spectaculaires qui donnaient accès à l'intérieur des murailles de la ville, Ji Kung se tourna vers ses deux compagnons.

– Dorénavant, vous ne parlerez qu'en ma présence. Et insistez pour que je sois là, en tout temps, lorsqu'on exigera de vous une réponse. Les cours royales sont des repaires d'aristocrates malveillants et ambitieux. Ils ne sont jamais à court d'intrigues, et vous ne voulez certainement pas vous retrouver au centre de l'une d'elles.

En faisant ces recommandations, le serviteur d'Aïzong s'adressait spécifiquement à Subaï.

CHAPITRE 4

Un horrible cauchemar

Plus le temps passait et plus il était évident que les Qarluq n'avaient pas pris Darhan et sa famille en chasse. Le seigneur Muktar avait peut-être d'autres chats à fouetter, ou alors les cinq hommes, trop fiers pour risquer de subir les moqueries des leurs, ne prirent pas la peine de signaler qu'ils avaient été mis hors combat par un homme seul : un jeune homme en l'occurrence.

Tout de même, ils ne voulaient pas s'attarder. Ils marchèrent d'un pas rapide toute la journée, brusquant les moutons qui, comme s'ils sentaient l'urgence, pressaient le pas eux aussi.

Le soleil tapait dur. Pour la première fois depuis leur départ, ils ne firent pas de pause à midi. La chaleur était étouffante. L'air brûlait comme s'ils étaient au milieu d'un four. Ce fut extrêmement éprouvant pour tous. Déjà, les bêtes sortaient la langue et marchaient la tête basse. Plus aucune ne bêlait. Yoni avait pris un agneau sur ses épaules.

– Mon fils, ce chemin aura raison de nous.

– Il ne faut pas se décourager. Il y a une oasis que je connais, plus au sud. C'est au fond d'un ravin. Nous pourrons nous y reposer quelques jours, à l'ombre des falaises, avec de l'herbe à profusion. Si nous gardons le rythme, nous y serons demain, en après-midi.

– Nous aurons assez d'eau pour tenir jusque-là?

– Il me semble, oui. Et là-bas, même si je crains que le lit de la rivière se soit asséché, nous devrions être capables de trouver de nombreuses sources. Ensuite, nous allons nous déplacer dans le ravin, à l'abri du soleil. Ce sera beaucoup plus facile.

Ils avaient ce qu'il fallait pour tenir. Mais les bêtes, non. Les membres de la famille devaient veiller à bien s'hydrater. C'étaient les moutons qui le paieraient cher, mais il fallait faire ce sacrifice. Ils n'avaient pas le choix. Yoni rejoignit ses filles à l'arrière du troupeau, qui peinaient avec deux bêtes qui refusaient d'avancer.

Ils firent une pause pendant la nuit. Dans le désert, les nuits pouvaient être extrêmement froides. Si, le jour, les températures ressemblaient à celles qui règnent dans une fournaise, la nuit, avec le sable et la pierre qui ne retiennent pas la chaleur, la fournaise se transformait en véritable glacière.

Cette nuit-là, personne ou presque n'arriva à trouver le sommeil. À l'exception de Zara qui semblait ne plus s'en faire avec quoi que ce soit, comme si elle était étrangère à tout ce qui se déroulait, comme si la seule chose qui comptait maintenant, c'était son propre bien-être. Et rien d'autre. Elle mangeait bien et elle buvait abondamment, pour s'endormir ensuite d'un sommeil profond qui durait jusqu'au lendemain. Les autres, bien au contraire, demeuraient aux aguets, et leurs nuits étaient entrecoupées de nombreux éveils.

Souggïs demeurait en retrait sur une grande dune sablonneuse d'où sortait un antique amoncellement de pierres, sorte de petite tourelle qui servait à guider les voyageurs égarés dans le désert. Le capitaine ressemblait à un fantôme, sa silhouette se découpant sur le ciel qui s'étirait derrière lui, piqué d'étoiles scintillantes. Une autre journée très éprouvante sous un soleil de plomb était à prévoir pour le lendemain.

Avant même le lever du jour, Souggïs indiqua aux autres qu'il était l'heure de partir. Darhan était déjà prêt. Ce jour-là, ce ne fut pas la famille qui s'attarda avant le départ, mais bien les moutons. Ils demeuraient couchés comme s'ils ne se remettaient pas de l'épuisante marche de la veille. Celle à venir serait tout aussi pénible, sinon plus. Ce fut à coups de pied au derrière qu'on fit lever quelques bêtes qui entraînèrent les autres.

La journée s'étira longuement ; elle sembla ne jamais vouloir s'achever. Darhan, Mia et Yoni portaient chacun un mouton sur leurs épaules. Souggïs en avait chargé un sur son cheval, et Zara, elle aussi, en avait calé un devant elle, contre son ventre. Elle caressait la laine rêche et pleine de sable de l'animal déshydraté. Ses yeux étaient remplis de sable et sa langue pendait, tandis qu'il respirait d'une manière saccadée, rapide et courte.

Malgré toute leur bonne volonté, malgré tous leurs efforts, ils durent se résigner à abandonner quatre bêtes qui feraient le régal des charognards. Darhan s'était penché sur l'une d'elles et fit couler un peu d'eau de sa gourde dans la gueule de l'animal, mais en vain.

– C'est peine perdue, laissa tomber Yoni. Lui aussi devra rester ici. Il ne faut pas gaspiller cette eau. Sinon, nous finirons comme eux.

Darhan se releva. Il devait être midi. Il pointa l'horizon, en direction de ce qui ressemblait à une grande muraille de rochers. C'était là, disait-il, qu'ils allaient terminer la journée, à l'ombre, près d'une source. Leur calvaire était presque terminé. Ils entreprirent cette dernière portion de la journée, poussés par l'espoir qui redonne des forces.

Tout au long de cet après-midi, Darhan observa un phénomène qui l'intriguait sans toutefois l'alarmer.

Les mirages sont des phénomènes bien connus des voyageurs du désert. Darhan, qui avait grandi tout près du désert de Gobi, les connaissait bien. Ainsi, il ne cessait de voir au loin une tour qui s'élevait comme sur un château. Il pensa, comme de raison, que c'était un rocher ou une montagne qu'aurait déformés la chaleur de l'air ambiant. Au fur et à mesure qu'il se rapprocherait, la nature reprendrait ses droits et ferait disparaître cette illusion d'optique.

Toutefois, il fut bien étonné de constater que cette tour gagnait en limpidité et prenait de plus en plus forme au fur et à mesure que leur marche progressait. Et, comme le soleil se couchait à l'ouest, illuminant le désert d'une lumière orangée, il fut abasourdi en réalisant ce que c'était. Une chose à laquelle il ne pensait plus et qu'il ne s'attendait pas à voir. Il fut troublé au point qu'il sentit ses jambes se mettre à trembler et ses forces l'abandonner.

Il déposa le mouton qu'il avait sur les épaules. Celui-ci avait miraculeusement retrouvé son énergie et cavalcada en direction de la tour, entraînant à sa suite le reste du troupeau que ne purent retenir Yoni et ses filles. Les animaux ont cet odorat exceptionnel qui leur fait sentir la présence d'un point d'eau. Même le cheval, Fleur, fut impossible à maîtriser, malgré les cris de Souggïs qui le frappait à coups de cravache. Le canasson y alla de son trot ingrat tandis que le capitaine s'accrochait du mieux possible. Devant eux se profilait cette oasis que Darhan connaissait trop bien : c'était l'infâme tour des Karakhanides et ses âmes tourmentées, qui avaient été abandonnées jadis par le roi Hannan II.

Le chameau, qui souffrait moins de la sécheresse du désert, demeurait tout près de Darhan. Il blatéra seulement pour manifester son mécontentement. En cette fin de journée, l'ombre du camélidé s'étirait longuement sur le sol, et on distinguait clairement celle de Zara, assise entre les deux bosses. Darhan se tourna vers sa compagne. Elle ne disait rien, mais le regardait, lui, avec des yeux noyés par le chagrin et l'incompréhension. Des yeux qui disaient : « Comment as-tu pu nous conduire jusqu'ici ? Comment est-ce possible ? Je ne comprends pas… » Car sa mémoire aussi était imprégnée à jamais par l'épisode atroce vécu en compagnie de la jeune fille sans visage, celui de la malédiction de Tarèk le chaman.

Darhan aurait voulu s'expliquer, mais il en était incapable. Il balbutia seulement quelques mots. Lui non plus ne comprenait pas.

Zara, d'un geste lent mais ferme, lui enleva la bride des mains et laissa le chameau la mener en direction de la tour. Mia s'était approchée et avait saisi la main de son frère entre les siennes. La jeune fille portait un bandeau qui recouvrait complètement ses yeux aveugles.

– Tout ça est insensé! s'écria-t-il. Cette tour devrait se trouver à des jours de marche derrière nous.

– Tes sens t'ont trompé, lui répondit sa sœur. Ou n'est-ce pas plutôt les esprits qui se sont joués de toi? Ils ont transformé ce que tu croyais être la vérité en quelque chose qui ressemble plus à «leur» vérité? Nous devrons être forts. N'est-ce pas, mon frère? Cette nuit sera très éprouvante pour nous tous.

Il n'était pas question de rebrousser chemin dans le désert. Leur réserve d'eau était à sec. Ce serait la mort certaine pour tous. À peine Zara eut-elle bu l'eau de l'oasis de la tour des Karakhanides qu'elle revint vers Yoni, le regard affolé. Elle tenait son ventre à deux mains. L'accouchement était éminent.

* * *

Keifeng était construite selon une architecture que l'on trouvait partout chez les Song et même chez les Jin. Elle était composée de trois enceintes carrées qui la divisaient en trois parties distinctes. Au centre se dressaient la cité impériale et son palais. Ce dernier était un immense bâtiment d'allure sobre, rectangulaire, surmonté d'un toit spectaculaire aux extrémités fuyantes, repliées de chaque côté. Les Han accordaient une grande valeur aux symboles en chaque chose qui occupait leur vie. Pour eux, ce qui donnait l'impression d'aller vers le bas était porteur de malchance. C'est pourquoi le toit des maisons se terminait toujours comme si la chute devait retourner vers le ciel. Partout, chaque maison arborait cette distinction bien particulière.

Lorsque Subaï s'adressa à Ji Kung pour lui demander pourquoi toutes les maisons de la ville étaient bâties de la même manière, ce dernier lui répondit que l'architecture était une chose très sérieuse et strictement réglementée. Chaque nouveau projet de construction devait être approuvé par une hiérarchie complexe de bureaucrates. Les projets devaient impérativement satisfaire à des normes culturelles bien précises reposant sur la tradition. Sinon, l'architecte risquait la peine de mort.

– Et ils osent dire que nous, les Mongols, sommes des barbares! s'exclama le petit voleur de Karakorum.

Deux énormes murailles assuraient la division de la ville en trois parties. De la « cité impériale », on passait à la « ville intérieure », et de celle-ci on accédait à la « cité extérieure ». En ces temps de guerre, avec la menace imminente des Mongols et des Song, un passeport était nécessaire pour circuler d'une enceinte à l'autre. Plus le rang d'un citoyen était élevé dans la société – sa famille était proche de l'aristocratie et de la famille royale –, plus il habitait près du centre de la ville. La cité impériale constituait en elle-même une véritable ville fortifiée où le roi et sa cour vivaient pratiquement coupés du monde.

Keifeng, grande capitale sur la rive du Huang he, avait été témoin des nombreuses guerres et conquêtes et était passée entre les mains de plusieurs dynasties. C'était ainsi qu'elle s'était érigée en une immense forteresse qui paraissait imprenable. Quelle armée pouvait venir à bout d'un tel ouvrage de fortifications? Mais c'était là le témoignage d'une autre époque, d'une autre tradition. Une nouvelle ère commençait en Asie. Une ère qui allait changer la manière de faire la guerre et qui rendrait les grandes murailles de moins en moins efficaces.

Subaï en eut conscience, ce jour-là, alors qu'on les conduisait à travers la cité impériale. Un bruit assourdissant comme un coup de tonnerre résonna soudain. Hisham et lui se regardèrent, ébahis, en portant leurs mains à leurs oreilles. Pourtant, aucun nuage noir dans le ciel n'annonçait du mauvais temps. Une étrange nuée de fumée blanche et malodorante passa sur eux.

– Mais qu'est-ce que c'est que ça ? s'exclama Subaï, encore étourdi par la force de la déflagration.

– C'est une nouvelle arme secrète. Le roi Aïzong compte beaucoup sur cette trouvaille des ingénieurs militaires pour l'aider à défaire les troupes d'Ögödei Khān. D'ailleurs, si ça vous intéresse, il y aura une grande démonstration demain pour les aristocrates, afin de les rallier au roi. Avec cette démonstration de force, il espère prouver qu'il a tous les atouts en main pour résister au déferlement des hordes mongoles.

– Pourquoi doit-il les convaincre s'ils sont ses sujets ? questionna Subaï. C'est leur roi.

Ji Kung éclata de rire.

– Cher ami, tout ce qui intéresse les aristocrates, c'est le pouvoir. Peu importe qui est le roi, qu'il soit khān ou shah, pourvu qu'il y en ait un pour défendre les privilèges que leur accordent leur précieux sang et les moyens qu'ils ont inventés pour s'enrichir sur le dos de la plèbe. Il fut une époque où l'on ne pouvait rien faire sans eux. La moindre décision concernant les affaires du royaume devait passer par les dédales de l'aristocratie et toutes leurs intrigues impossibles à comprendre pour le commun des mortels. Aujourd'hui, cela a beaucoup changé. Ce sont les fonctionnaires qui sont en charge des affaires du royaume.

— Et ça va mieux avec les fonctionnaires ? demanda Subaï.

Ji Kung se mit à rire de nouveau en montrant la bourse vide pendue à sa ceinture.

Le serviteur du roi les mena ensuite jusqu'à un grand pavillon qu'ils mirent du temps à atteindre. La cité royale était immense : presque aussi grande que Karakorum. Quelqu'un aurait pu vivre là toute sa vie sans jamais en sortir. Ce qui était le cas de quelques aristocrates qui craignaient comme la peste les contacts avec le peuple. Le roi lui-même ne sortait pratiquement jamais. S'il le faisait, c'était toujours pour des sorties anonymes, non officielles, pour aller voir un peu la ville et ses gens. Mais officiellement, son statut de saint d'entre les saints lui devait d'être préservé des impuretés du monde commun. Et pratiquement personne n'était autorisé à le rencontrer, excepté sa suite immédiate.

Ceux qui avaient l'infime privilège d'une audience trouvaient le roi dans une immense salle où il apparaissait à l'étage. Il ne regardait jamais son interlocuteur. S'il avait besoin de dire quelque chose, il le faisait par l'entremise de ses conseillers : des hommes très intimidants, aux robes imposantes et aux barbes très longues. Les invités étaient reçus par une cour nombreuse et placés sous les regards scrutateurs d'une multitude de gens, si bien que n'importe quel ambassadeur s'en trouvait impressionné.

Le pavillon était un endroit réservé aux visiteurs étrangers. En ce moment, il accueillait des gens du commerce aux allures étranges et à la peau foncée, qui venaient du sud.

La chambre qu'on assigna aux trois compagnons était immense, avec ses planchers de bois immaculés et son décor sobre comportant très peu de mobilier. S'ils avaient besoin de quelque chose, ils n'avaient qu'à s'adresser au concierge, un homme très âgé qui dormait toujours, assis sur une chaise à l'entrée du grand pavillon. Les repas seraient servis dans la chambre.

— Et le roi, on va le voir ? demanda Subaï.

— Officiellement, c'est impossible. Le roi ne rencontre pas le commun des mortels. Par contre, je connais la passion d'Aïzong pour les aventuriers qui parcourent le monde. Lorsque je lui raconterai vos exploits, il sera curieux d'en savoir plus, j'en suis persuadé. En attendant, faites-vous le plus discrets possible. Si on vous questionne, vous êtes des voyageurs de commerce en provenance de Samarkand.

Ji Kung les quitta d'un pas rapide tandis qu'Hisham, qui se regardait pour la première fois dans un miroir depuis l'incident sur la route de Zhengzhou, se mit à se lamenter en contemplant sa barbe arrachée et son visage mutilé.

Les deux amis étaient exténués. Ils auraient aimé dormir. Mais une idée les obsédait par-dessus tout : trouver un endroit pour prendre un bain. Suivant les indications du concierge, ils se retrouvèrent dans un grand bain public réservé aux aristocrates. Le vieillard qui les avait dirigés là pensait bien faire. C'était un bel établissement où coulait une grande fontaine qui jaillissait d'un amoncellement de pierres érigé dans la cour intérieure. On y trouvait des salles privées avec de grandes baignoires de pierres blanches polies, qu'on pouvait occuper à plusieurs.

Lorsque Hisham et Subaï y mirent le pied, tous les baigneurs s'empressèrent de terminer leurs ablutions, puis quittèrent précipitamment les lieux. Ils affichaient tous, sans exception, des mines scandalisées. C'était comme si deux chiens avaient fait leur entrée. Évidemment, on ne voyait que très peu de Perses et de Mongols dans cet endroit. Et les prétentieux avaient peur d'être souillés par la présence de ces deux vagabonds.

Les deux compagnons sentirent qu'ils n'étaient pas les bienvenus. Mais ils décidèrent de ne pas s'occuper de ces pédants qui, derrière leurs manières raffinées, faisaient preuve d'un manque flagrant de savoir-vivre envers des étrangers et des invités du roi. Épuisés, ils laissèrent leurs corps meurtris se détendre pour la première fois depuis trop longtemps. L'eau chaude du bain les plongea l'un et l'autre dans un sommeil très profond. Plusieurs serviteurs observaient ces deux êtres bizarroïdes d'un œil craintif; l'un était petit, à la peau foncée et aux cheveux blonds, l'autre, immense, au torse et aux épaules poilus, portant une barbe effrayante. Ils se regardèrent de longues minutes, ne sachant comment réagir. Finalement, on se résolut à les réveiller avec une longue perche, comme on l'aurait fait avec deux bêtes sauvages. D'un pas lourd, les yeux à moitié fermés, Subaï et Hisham retournèrent à leur chambre où ils dormirent jusqu'au lendemain matin.

Ils furent réveillés par de puissants coups de canon qui firent trembler la bâtisse. D'un grand terrain, devant le palais royal, montaient de nombreux nuages de fumée blanche.

– Eh ! s'exclama Subaï, qui s'habillait en regardant par la fenêtre. Ils ont commencé le spectacle sans nous. Ji Kung a oublié de nous avertir.

– Moi, j'ai plutôt l'impression qu'il s'est ravisé et qu'il ne voulait pas nous voir là, répondit Hisham, étendu dans son lit sous une couverture blanche.

– Ah, non ! Une invitation, c'est une invitation. On ne peut pas revenir là-dessus. Moi, j'y vais. Je veux voir ça.

– Subaï, c'est une arme secrète. Peut-être que les chefs de guerre Jin ont signalé à Ji Kung que nous n'étions pas les bienvenus. Ce n'est pas si grave.

Subaï se préparait à partir en faisant la sourde oreille.

– Mais qu'est-ce que tu fais ?

– Je vais voir ça !

– Subaï, tu vas nous attirer des ennuis.

– Mais non.

– Ji Kung nous a dit…

– … de ne parler à personne sans qu'il soit là. Alors, je ne parlerai à personne, c'est tout.

– Subaï, tu restes ici. C'est dangereux. Il faut respecter les ordres. Nous sommes invités. T'as vu comment tout le monde nous regarde ? C'est à croire qu'on a la peste.

– On m'a invité. J'y vais. Toi, fais ce que tu veux.

Et il se sauva au pas de course tandis qu'Hisham grognait son mécontentement.

* * *

On avait monté la tente près d'une mare, derrière les broussailles, le plus loin possible de la sombre tour des Karakhanides. Mais celle-ci, dominant toute l'oasis, faisait fortement sentir sa présence, de sorte qu'il était impossible de l'oublier. Quelques oiseaux, de sombres charognards, étaient posés sur le toit en ruine.

De temps à autre, Souggïs lançait Fleur au galop en direction de la tour en décochant des flèches avec son arc. Les oiseaux n'avaient qu'à s'élever dans les airs de quelques battements d'ailes pour esquiver les projectiles, et se reposaient ensuite pour reprendre leur funeste guet.

On n'entendait pas Zara. Les seuls bruits en provenance de la tente étaient ceux de Yoni et de Mia qui s'activaient. La petite Yol, à l'extérieur, faisait des allers-retours constants à la mare pour y puiser de l'eau. Darhan, qui craignait qu'on s'éloignât trop les uns des autres, accompagnait sa jeune sœur jusqu'à la source. En cette période estivale, les eaux peu abondantes étaient boueuses. De cet endroit, il ne pouvait se retenir de regarder la tour et d'observer Souggïs qui passait devant en tentant désespérément de chasser les oiseaux de malheur.

Ce n'était pas les charognards qu'il craignait. C'était les fantômes, ces ombres qui habitaient la tour maudite.

– Les esprits de la tour semblent sereins, murmura Mia qui s'était approchée en silence, ses pas glissant sur le sable. Ça ne te rassure pas?

Elle portait son bandeau sur les yeux. Elle parvenait à marcher sans rien voir, en se laissant guider par ses impressions, malgré les arbustes et la broussaille.

– Comment va Zara?

– Très bien. Par contre, l'enfant mettra du temps à naître. Il faudra être patient.

– Je ne crains pas les esprits des Karakhanides. Ce que je crains, c'est la malédiction qui pèse sur cette tour. Et ce qu'elle peut engendrer.

– Je ferai mes prières.

Darhan retourna vers la tente en compagnie de sa sœur. Pour la première fois, il entendit Zara gémir. C'était un cri de douleur, retenu. Il se mordit la lèvre inférieure et sortit son épée qu'il planta vigoureusement devant l'entrée de la tente, comme pour marquer un territoire, pour lancer un avertissement au mauvais œil.

* * *

Un curieux silence régnait autour de l'oasis. Tous les moutons semblaient dormir. C'était à peine si l'on entendait un léger bêlement ici et là. Aucune brise ne soufflait. Darhan demeurait assis devant son épée à laquelle il s'adossait de temps à autre, la lame froide contre sa colonne vertébrale.

Il ne quittait plus la tour des yeux : son regard s'attardait sur chaque détail de cette construction de pierre qui datait de plusieurs siècles. Il se rappela les paroles qu'avait prononcées Koti, la première fois qu'ils étaient venus ici. Elle était appuyée contre la porte de bois. Les yeux révulsés, la bouche grande ouverte, elle avait parlé des anciens gardes karakhanides abandonnés par leur roi. Il entendit clairement la voix de la vieille dame. Comme si elle était derrière lui, et qu'elle lui soufflait à l'oreille ces mots qui faisaient monter de grands frissons le long de son dos :

– Ils sont morts de soif. L'oasis a été empoisonnée !

Un cri retentit dans la tente. C'était Zara. Il se leva d'un bond en arrachant son épée du sol. Mia apparut devant lui. Elle était agitée et blême. Elle pointait le doigt derrière lui en disant :

– L'enfant arrive. L'enfant arrive.

Un rire tordu se fit entendre. Un rire mauvais, immonde. Le ciel était bleu foncé. L'aube se pointait. Les gémissements de Zara se mêlaient à ceux d'un être effroyable que toute la famille avait connu. Une damnation pesait sur chacun d'eux, qui semblait ne jamais devoir les lâcher.

Cet être était là, debout sur la tour des Karakhanides. Son visage rongé par la mort, ses bras arrachés manquants, il se déplaçait en faisant de grands pas et en hurlant. C'était bien lui. C'était Günshar le mort vivant.

Sans attendre, le capitaine Souggïs voulut charger. Mais le pauvre Fleur, effrayé, prit le mors aux dents. Il partit au galop en fonçant dans la direction opposée, vers le désert, sans s'occuper de son cavalier qui hurlait en le frappant de sa cravache.

– Mais qu'est-ce que tu fais, satanée bête ?! De l'autre côté ! De l'autre côté ! Tu vas m'écouter ?!!

Mais Fleur filait sans s'arrêter, et Souggïs, sur son dos, disparut dans la nuit.

Günshar hurlait en criant des insanités : des paroles affreuses qu'il répétait sans cesse en contorsionnant son corps sans bras. Il pestait et crachait.

– Ha ! ha ! ha ! Fils de Sargö ! Fils de rien. Fils de mort. Tu m'entends ? Tu es le fils d'un mort !!!

Sans attendre un instant de plus, Darhan s'élança, malgré sa frayeur, en direction de la tour. Il savait qu'il ne pouvait rester sans rien faire. Il traversa la mare au pas de course, tandis que tous les moutons bêlaient à l'unisson. Il entra dans la tour par la porte défoncée pour se retrouver dans l'obscurité la plus totale. Très vite, il distingua un mince filet de lumière qui illuminait faiblement un tas de pierres et de vieilles planches de bois. Le toit s'était effondré. En levant la tête, Darhan vit le ciel bleu étoilé entre les poutres de bois de la structure qui traversaient la tour d'un côté à l'autre. Debout sur l'une d'elles gesticulait Günshar le mort vivant. Il se balançait, une jambe au-dessus du vide, en tournant sur lui-même.

– Alors, voyageur des esprits ? Il est où, ton cheval ? Tu as oublié ton fidèle ami Gekko ? Tu l'as sacrifié pour sauver l'âme de ce traître de Kian'jan, le tueur de rois. Celui-là même qui a assassiné ton empereur, Gengis Khān ! Ha ! ha ! ha !

Même si Darhan essayait de ne pas les entendre, ces infectes paroles pénétraient profondément en lui. Il sentait se mêler en lui une rage viscérale et une grande impuissance devant ce monstre, ce tourment, qui semblait ne jamais devoir le laisser en paix.

Il n'avait pas oublié la forme de la grande pièce centrale de la tour des Karakhanides. Il se souvenait de la porte du fond, celle qui donnait sur un escalier menant au toit. Il s'y rendit en trois pas seulement, en sautant par-dessus le tas de débris. La porte s'ouvrit aisément, ses pentures de fer émettant un long grincement. Puis il sentit l'air frais et sec de l'extérieur. Le rire sinistre de Günshar l'invitait jusqu'à lui.

Darhan monta les marches quatre à quatre, épée en main. Lorsqu'il déboula à toute vitesse sur le palier, il faillit perdre l'équilibre. Quelques pierres tombèrent sous lui dans le gouffre opaque.

– Ha ! ha ! ha ! cria Günshar. Et qu'est-ce que tu vas faire maintenant, fils de Sargö ? Fils de mort !

Darhan sauta sur une poutre devant lui, puis sur une autre, en gardant son équilibre à l'aide de son épée. Günshar faisait de même en sautant de côté. Leur manège dura un long moment. Enfin, Darhan tenta un geste désespéré ; il sauta deux poutres plus loin, perdit pied et chuta dans l'abîme. Il s'accrocha désespérément à une poutre de bois qui pendait plus bas, en saillie du mur de pierre effrité. La solive donnait l'impression de vouloir lâcher d'une minute à l'autre. Il entendait le mort vivant qui approchait.

Deux moignons sortaient des épaules du monstre. Son visage était fait de chair et de terre. Sur le côté gauche, du front jusqu'à la mâchoire, jaillissaient les os pourris de son crâne.

Le monstre aurait pu aisément envoyer Darhan faire une culbute de plusieurs mètres dans les entrailles de la tour. Mais il se pencha simplement, exposant davantage son visage répugnant.

– Je suis mort depuis longtemps, dit-il. Je n'existe que par la volonté des esprits qui m'ont mis dans ta tête. Ce n'est pas toi qu'ils veulent. Toi, tu vas rester en vie. Tu devras vivre un perpétuel cauchemar.

Le soleil se levait sur le désert de Taklamakan. Le ciel au-dessus de Günshar avait pris une teinte bleue et rosée. Quelques nuages se dessinaient finement en des traits orangés. Ils disparaîtraient très vite à mesure qu'avancerait la matinée. Le mort vivant avait perdu ses airs hideux. Son visage d'outre-tombe regardait Darhan avec affliction. Comme si, soudainement, c'était lui, Günshar, le martyr de cette histoire. Puis, dans un geste inattendu, il se laissa tomber dans le vide, effleurant Darhan qui sentit un courant glacé lui traverser le corps.

Les pleurs d'un enfant retentirent alors dans l'oasis des Karakhanides.

Darhan lâcha la poutre et s'affaissa sur le tas de débris, cinq mètres plus bas.

* * *

La première chose que vit Darhan en sortant de la tour, ce fut le capitaine Souggïs sur son cheval. Fleur ruminait un tas d'herbes arrachées sur le pas de la porte.

Quand il vit le visage dépité du capitaine, le jeune guerrier comprit qu'il était arrivé un grand malheur. Il s'élança au pas de course jusqu'à la tente. Devant, sur un tapis, il aperçut sa mère et ses sœurs assises l'une contre l'autre. Elles faisaient chauffer de l'eau pour le thé, dans une bouilloire déposée sur un petit feu de branchages. Il ne put supporter leur regard affligé.

Puis, il la vit au loin. Elle marchait dans le désert, comme un mirage. Il courut jusqu'à elle en criant son nom.

– Zara! Zara!

Les épaules de la jeune femme étaient affaissées. Son teint était blême, et son visage tordu par le chagrin offrait des yeux gonflés, rougis par les pleurs. Elle lui tendit l'enfant en disant d'une voix faible:

– C'est un garçon.

Darhan saisit son fils qu'on avait lavé et enveloppé dans des haillons. Il le souleva pour le regarder. Le bébé ne bougeait pas. C'était à peine s'il respirait. Il sentit ses mains et ses bras devenir froids, glacés, de ce même froid qui l'avait saisi dans la tour lorsque Günshar l'avait frôlé. Et tout comme sa mère, ses sœurs et Zara avant lui, il comprit avec horreur quel fléau s'abattait sur eux. Une chose innommable, abominable. L'enfant vivait, mais sa peau était bleutée comme celle d'un mort.

Dans un cri puissant, mélange de rage et de défi, il hurla le nom de Djin-ko en présentant le bébé au soleil levant. Les esprits de la steppe s'étaient vengés. Ils avaient volé l'âme de son enfant.

Chapitre 5

Le mangeur d'âmes

Le magicien leva des yeux confus sur l'assistance. Il sourit et annonça d'une voix troublée que la séance était terminée. Tous les nobles venus entendre les augures de la semaine se regardèrent. D'un commun accord, ils quittèrent la grande salle. De toute façon, le plus important avait été dit. On avait prédit la victoire d'Aïzong, tel qu'on s'y attendait. On voulait seulement l'entendre de la voix du plus puissant magicien du royaume. Le roi était content.

Après les augures publics, le magicien avait l'habitude de rencontrer le roi en tête-à-tête. Mais cette fois, il demanda à être dispensé de cet entretien, ce qui lui fut accordé. Il rentra d'un pas pressé, sa longue robe blanche et rouge traînant derrière lui.

Zao Jong le magicien était un homme de spectacle. Il aimait beaucoup faire de petites mises en scène dramatiques chaque fois qu'il feignait de contacter les esprits. Il lui arrivait de se mettre à trembler ou de parler d'une voix étrange afin d'accentuer la crédibilité de ses exercices de divination. Avec les années, il savait exactement ce que voulait entendre son public, composé du roi et des aristocrates. Par contre, depuis quelque temps, il sentait l'inquiétude grandir autour de lui. L'avenir était bouché pour le royaume des Jin. Une grande guerre se préparait. La démonstration de Zao Jong était une cérémonie sans importance, du divertissement, lorsque les affaires du royaume allaient bien. Maintenant, jamais il n'avait vu autant de gens se déplacer pour l'entendre. Ainsi, il prédisait la victoire des siens, sachant que son rôle était de transmettre de bonnes nouvelles. Il devait redoubler d'ardeur afin de convaincre les gens, et le roi surtout, qui attendaient beaucoup de leur magicien en ces temps difficiles.

Pour son spectacle de divination du jour, Zao Jong s'était donné des airs vaguement faux de chaman mongol afin de créer un impact dramatique avec ses prédictions. Les dieux Jin étaient les plus forts, jamais ils ne laisseraient les Mongols souiller leur terre et leur grande culture. Tel était le message qu'il devait passer.

Après avoir agité une plume de faucon et un morceau de fémur de cheval, il avait lancé une poudre d'encens sur des braises rouges qui se mirent à dégager une fumée bleue très odorante. Ce fut à cet instant qu'il commença à se sentir mal. Les effluves agressifs de l'encens lui donnèrent la nausée, et il sentit le malaise se propager dans tout son corps. Il crut bien défaillir. Malgré toute son expérience et tout son pouvoir, il fut saisi par une force puissante qui l'emmena loin de son corps, dans des mondes parallèles. Heureusement, il revint à lui à temps, juste avant de s'évanouir. L'humiliation de perdre connaissance devant le roi et ses sujets lui aurait été difficilement supportable. Mais il était mal en point. Ses mains tremblaient et de la sueur perlait sur son maquillage blanc. Ce fut à ce moment-là qu'il décida de couper court à la cérémonie.

Zao Jong habitait une petite maison dans le quartier du port de Keifeng. Construite modestement, elle était située derrière un grand entrepôt. C'était depuis cet immense bâtiment, qui dépassait tous les autres, que le magicien administrait une entreprise de produits médicinaux.

En bon commerçant qu'il était, Zao Jong détestait les guerres, surtout quand il se trouvait du côté des perdants. Il n'ignorait pas que son roi, Aïzong, était dans le pétrin, pressé au nord par Ögödei Khān et, au sud, par les armées du roi Song : Li-Zong. Il savait aussi qu'une alliance unissait les deux puissances dans un but commun : défaire les Jin.

Avant l'incident, son travail pendant la cérémonie ne consistait qu'à proclamer publiquement la grandeur du roi et sa victoire certaine.

Pour sa part, il avait recours à des agents de commerce qui travaillaient à créer des liens solides avec des marchands Song et mongols. Ainsi, advenant la défaite, ses affaires n'en souffriraient pas.

Dans son entrepôt, on trouvait une grande quantité de produits de toutes sortes : bave et chair de crapaud, organes de mammifères marins, serpents venimeux. Outre les quantités astronomiques de caisses de champignons et de jarres de poudres diverses, on trouvait de grands séchoirs sur lesquels étaient suspendus des végétaux, mais aussi des carcasses d'animaux. Une fois déshydratés, ils seraient réduits en poudre par les employés de Zao Jong.

Le chef de cet atelier hors du commun s'appelait Hu Wang Lee. Il était le fidèle second de Zao Jong depuis plus de trente ans. C'était un homme de grande taille, au visage long, très calme, qui aimait porter la tresse dans son dos. Vêtu de rouge éclatant, toujours bien mis, il pouvait être d'une cruauté sans nom pour les employés qui ne s'appliquaient pas à la tâche. Les apprentis avaient la vie dure. La moindre erreur, même futile, signifiait la bastonnade à coup sûr.

Zao Jong s'assit dans sa petite étude où il passait ses journées à écrire sur de grands parchemins ses entrées et ses sorties d'argent. Évidemment, les revenus surpassaient de beaucoup les dépenses. En tant que principal fournisseur de médicaments de Chine, sa fortune était colossale.

La magie qui constituait à dominer l'esprit des rois par des envoûtements était dépassée depuis longtemps pour Zao Jong. Cette façon de faire était bonne pour les barbares des steppes nordiques. Avec la nouvelle bureaucratie qui contrôlait les affaires du royaume, il était inutile d'essayer de résister à la puissance du fonctionnariat. Aucune magie n'était capable de venir à bout de ses méandres insondables. Très vite, au fur ct à mesure que l'aristocratie voyait son pouvoir sur le royaume diminuer et être réduite à l'état de figure emblématique d'un passé glorieux, de symbole, sans plus, il ne restait plus à l'art de la magie qu'à se mettre au service des affaires.

Le puissant Zao Jong était un maître de la persuasion, et il s'enrichissait considérablement sur le dos des pauvres victimes qu'il ensorcelait. Avec ses pouvoirs de divination, il savait quelle marchandise apparaîtrait en abondance sur le marché, quoi acheter, et comment créer une rareté pour vendre ladite marchandise quatre fois son prix.

Quiconque rencontrait Zao Jong pour négocier la vente d'un stock d'ailerons de requins, par exemple, retournait sur son bateau de pêche sans trop comprendre comment et pourquoi il avait accepté de liquider sa cargaison moitié moins cher que prévu. Et quiconque achetait à Zao Jong ces mêmes ailerons de requins ressortait les poches vides, ayant payé deux fois le prix qu'il aurait déboursé chez un autre négociant. Et non contents de s'être fait entourlouper par le magicien, ils y retournaient encore et encore, ne faisant affaire qu'avec lui seul, comme s'ils étaient nés pour se faire escroquer.

En de rares occasions, il arrivait qu'un esprit fort résiste à Zao Jong. Certains êtres ont des pouvoirs exceptionnels qu'ils ignorent et sont doués d'une force et d'une rigueur mentales remarquables, sans toutefois avoir trouvé de mentor pour les guider et les aider à développer leurs facultés hors du commun.

Ces gens mystifiaient chaque fois Zao Jong, qui n'arrivait pas à les envoûter pour imposer ses vues sur une transaction. Alors, coupant court à la discussion, il les renvoyait aussitôt. Les marchands récalcitrants se voyaient aborder un peu plus tard dans la rue par Hu Wang Lee qui arrivait en courant. Il se confondait en excuses pour la transaction avortée et affirmait que son maître désirait ardemment cette marchandise, et qu'il était prêt à faire des concessions. Un rendez-vous était ainsi fixé pour la nuit suivante dans le sombre entrepôt de la rivière Bian.

Et là, à la faible lumière d'une pauvre lanterne qui se balançait en éclairant les marchandises étranges de Zao Jong, une petite table était dressée sur laquelle étaient posés des papiers, une plume et un encrier.

Petit de taille, vêtu de sa grande robe blanche et rouge, son visage maquillé de blanc, ses yeux colorés en rouge et sa longue moustache luisante lui descendant de chaque côté du menton jusqu'à la poitrine, le magicien recevait son hôte. C'était avec horreur que le pauvre larron voyait son interlocuteur se transformer en un monstre effroyable, aux dents longues et aux ongles acérés. Il était dévoré sans autre forme de procès.

Zao Jong était né en 212 avant Jésus-Christ, pendant la dynastie des Qin. Il avait vécu toutes ces années en dévorant les esprits forts qui avaient le malheur de croiser son chemin.

Ce jour-là, en revenant de chez le roi, Zao Jong, qui d'ordinaire serait venu s'informer des arrivages du matin, alla directement dans son bureau sans parler à personne. Ce qui inquiéta son second qui vint le rejoindre dans la petite pièce qu'il occupait au fond de l'entrepôt.

Le magicien commerçant était assis sur une chaise de bois noir, ses deux pieds posés sur le sol devant lui, ses mains sur ses cuisses. Son second, Hu, le connaissait comme un homme tourmenté en tout temps, excepté dans les moments importants, où il pouvait être d'un calme exceptionnel pour négocier une affaire ou défaire un ennemi. Mais il ne se souvenait pas l'avoir déjà vu aussi préoccupé. Après s'être introduit dans la petite pièce où l'on trouvait une chaise, un pupitre et une grande penderie avec un miroir, il se résolut à parler en voyant que son maître ne parlait pas.

– Nous avons reçu les petites pieuvres bleues des îles du sud. Nous nous demandions si vous vouliez assister à l'extraction du venin.

Zao Jong acquiesça de la tête sans quitter le sol des yeux.

– Est-ce que tout va bien, mon maître ?

Une forte odeur de poisson envahit la petite pièce. Un chargement de poissons-chats venait d'être déposé sur le sol du grand entrepôt. Trois apprentis, pieds et torses nus, s'affairaient déjà dans l'immense tas de poissons pour couper les nageoires, sortir les tripes, et surtout détacher les précieuses moustaches qui se vendaient à prix d'or.

— Je dois partir pour Pékin, mon cher Hu.

— Pour Pékin? Mais pour quelle raison?

— Je dois partir immédiatement.

— Les Mongols d'Ögödei vont déferler sur Pékin dans les prochains mois. Vous êtes en sécurité ici, à Keifeng.

— Ce n'est ni l'empereur ni les Mongols que je crains, Hu.

Et pour la première fois, Zao Jong leva les yeux sur son second.

— Tu iras à Hangzhou, la capitale de l'État Song, pour t'occuper de nos affaires sur place. Je t'y rejoindrai en cas de retraite stratégique.

— En cas de retraite stratégique? s'étonna Hu Wang Lee. Mais qui donc pourrait vous forcer à retraiter, vous qui avez traversé tant de siècles, mon maître? Votre magie est puissante, et votre savoir n'a pas d'égal en ce monde.

— Tu es flatteur, Hu. Sache que je suis sensible à tes paroles réconfortantes. Mais il a commencé à me chercher. Je ne peux rester dans cet entrepôt de poissons. Je suis vulnérable ici. Je dois retourner au temple des Anciens, à Pékin, et préparer ma défense. Là, et seulement là, je serai en mesure de l'accueillir et de lui résister. Mais je dois être prêt à toute éventualité.

– Qui donc craignez-vous ainsi?

Zao Jong soupira longuement, avant de prononcer d'une voix faible, presque étouffée :

– Le voyageur des esprits.

Hu Wang Lee acquiesça de la tête sans ajouter un mot. Il se rappelait cette époque pas si lointaine où son maître était en guerre contre un sorcier Song qui avait cherché à étendre ses tentacules sur Keifeng et à prendre le contrôle du marché des médicaments. Il en avait résulté une bataille sans pitié qui avait duré plusieurs mois. Jamais la ville n'avait compté autant de disparitions et de crimes crapuleux, comme si tout le monde, le temps que dura cette guerre, était devenu fou.

Hu Wang Lee, qui savait qu'il ne pouvait être d'aucune aide pour son maître, se dirigea vers la penderie. Il en sortit trois pots de porcelaine et des mouchoirs de soie qu'il déposa sur le pupitre. C'était du maquillage.

– Vous avez une rencontre ce soir avec le Laotien.

– C'est vrai! confirma Zao Jong qui s'avança près de la table de maquillage pour se regarder dans le miroir.

Il commença à grimer son visage de blanc et de rouge sang qu'il appliqua en grande quantité autour de ses yeux. Sans quitter son reflet du regard, il enduisit ses longues moustaches d'une graisse noire. Son petit sourire démoniaque rassura Hu Wang Lee.

Le soir venu, Zao Jong se rendit à la rencontre avec le Laotien. Celui-ci était venu accompagné de six hommes à l'aspect redoutable. Ils étaient vêtus de haillons, portaient de larges bandeaux orange sur le front, et tenaient à la main de longs bâtons de bois noir. Le Laotien était un homme très prudent qui s'était tout de suite méfié de Zao Jong. Ce qui plut au magicien qui voyait en lui un esprit encore plus surprenant qu'il ne l'avait pensé de prime abord. La prudence était une qualité dont il avait bien besoin en ce moment. Tout arrivait à point.

Le Laotien écouta la dernière proposition du magicien. Son visage était dur et sa mâchoire, très large. Sa peau cuivrée luisait sous la lumière de la lampe. Il signifia de la tête qu'il ne marchait pas.

Zao Jong sourit. Il était petit de taille et savait paraître intimidé pour donner confiance à son adversaire. Il aimait avoir l'air inoffensif et même un peu ridicule, avec ses vêtements et son maquillage de cérémonie qui arrachaient toujours un sourire à ses rivaux.

Le Laotien n'eut pas le temps de faire un seul geste. Zao Jong, toutes dents sorties, de sa langue mince et fourchue comme celle des lézards, siffla en crachant une salive acide qui aveugla l'homme. L'effroyable magicien sauta sur lui et enfonça ses ongles acérés de chaque côté de sa poitrine. Les hommes de main, épouvantés, sortirent en catastrophe de l'entrepôt, tandis que leur chef se faisait dévorer par la bête démoniaque.

* * *

Ce matin-là, après la séance de divination de Zao Jong, les aristocrates de la cité impériale d'Aïzong furent invités à une démonstration extraordinaire de l'armée Jin. Personne n'ignorait de quoi il s'agissait. Tout le monde avait entendu parler de cette poudre à canon qui explosait lorsqu'on y mettait le feu. Ils connaissaient bien les canons qui servaient à envoyer de dangereux projectiles à des distances phénoménales. Seulement, c'était la première fois qu'on allait dévoiler une véritable division d'infanterie lourde armée de centaines de canons de bronze. Le spectacle allait être saisissant, sur la grande colline du manège militaire.

Une immense tente rouge et or, richement décorée par de grands fanions multicolores, avait été érigée sur le point le plus haut, devant une immense tour de guet qui permettait une vue extraordinaire sur toute la plaine du Huang he. Se trouvaient là le roi et la reine, ainsi que leurs proches. De nombreux serviteurs s'affairaient à satisfaire leur moindre caprice.

De chaque côté de cette tente aux dimensions titanesques se dressaient des dizaines d'auvents montés sur des perches colorées. Les aristocrates, de petits rois à leur manière, étaient accompagnés de leur suite, cherchant à briller parmi les autres et à se faire remarquer du souverain.

Au pied de la colline, assis sur des chaises austères, mais aux premières loges pour le spectacle à venir, étaient rassemblés les hauts fonctionnaires. Ils provenaient de tous les milieux, de tous les domaines : commerce, armée, génie civil, finances. Parmi eux, dans une rangée réservée à ceux qui travaillaient au commerce maritime, il y avait le maître de port de la rivière Bian. Celui-ci avait été invité à cette démonstration en raison de son excellent jugement lors de l'affaire de la jonque, à l'issue de laquelle on avait restitué son trésor au roi Aïzong. Très fier, il s'était fait confectionner une grande robe de soie blanche. Il la portait avec, à la taille, une immense ceinture de plaques argentées qui remontait sur son épaule pour descendre derrière son dos. Cette manière de s'habiller était étonnante pour un fonctionnaire de qui on attendait professionnalisme et sobriété en toute chose. À la décharge du maître du port, il faut savoir que c'était là sa première mondanité à vie, et qu'il était si fier qu'il n'avait pu s'empêcher de porter cette ceinture extravagante transmise, dans sa famille, de génération en génération. Aujourd'hui était une journée très spéciale pour lui, et il comptait bien paraître devant ses supérieurs.

Le soleil plombait en cette matinée et, déjà, la chaleur se faisait étouffante. La centaine de soldats d'infanterie mirent un temps fou à disposer les lourds canons qui roulaient difficilement sur la terre battue ramollie par les pluies des dernières semaines et par la cavalerie qui avait fait des manœuvres sur le terrain la veille.

Le général responsable de cette démonstration demeurait de marbre sur son cheval, devant tout ce que Keifeng comptait de nobles et de personnages haut placés. Mais n'importe quel observateur pouvait deviner son humiliation et sa colère ; le spectacle du roi était retardé par le manque de coordination de ses effectifs. Les nobles souffraient de la chaleur et de l'attente, et lui-même souffrait à penser qu'il pouvait oublier toute promotion pour les vingt prochaines années. Il pouvait faire une croix sur le poste de maréchal qu'il convoitait.

Le maître de port essuyait son visage avec une serviette qu'il gardait sur ses genoux. Comme ses compatriotes et collègues, il souhaitait ardemment que le spectacle commence au plus tôt. Son maquillage s'était mis à couler. Toutefois, il envoyait des sourires à gauche à droite, comme si rien de tout cela ne pouvait l'affecter. La tension était palpable et l'exaspération, très grande parmi les fonctionnaires. Mais personne n'aurait osé le moindre commentaire. C'était le spectacle du roi, c'était à lui seul de manifester une quelconque impatience ou d'émettre une critique.

Un bruit se fit entendre dans la foule, plus haut. Quelques murmures, sans plus, mais qui firent tourner la tête au maître de port. Il entendait clairement une voix, percevait du mouvement, mais ne voyait personne.

– Excusez-moi ! Excusez-moi… S'il vous plaît, madame, pouvez-vous vous pousser de mon chemin ? Ah ! Vous êtes un monsieur ? Pardon, je veux passer. Merci !

C'est alors qu'il vit apparaître une petite tête blonde qui émergea entre les gens visiblement offusqués de se faire ainsi bousculer. Il reconnut le garçon qui était arrivé sur la jonque. Sachant à quel point la cargaison du navire était importante, il prit ce garçon pour un personnage respectable jouissant des faveurs du roi Aïzong. Et c'est pourquoi il se leva de son siège et agita la main.

– Maître Subaï! Hou! Hou! Maître Subaï!

Subaï leva des yeux intrigués sur ce drôle qui l'apostrophait dans cette foule morne et austère. Le curieux bonhomme avait une ceinture étincelante et tenait au-dessus de sa tête coiffée une ombrelle qui s'agitait au même rythme que sa main. Le petit voleur de Karakorum finit par reconnaître le maître de port. Il lui fit un grand sourire et s'approcha avec un enthousiasme dont lui seul était capable.

– Ah ben! Si ça fait pas plaisir de rencontrer quelqu'un qu'on connaît, fit-il, s'avançant les bras ouverts comme s'il retrouvait un proche parent.

– Allez-vous vous joindre à nous? le questionna le maître de port.

– Ah! Ce n'est pas de refus. Vous êtes bien aimable, répondit le petit voleur, en prenant un siège près de son hôte. Ce ne sont pas ces larrons qui me feront une place. Quelle bande de mal élevés ! Ils sont assis sur leur gros derrière, enveloppés dans des guenilles qui leur servent de robes, et refusent de bouger le moindrement pour un invité du roi. Quels bouffons !

Le maître de port saisit tout ce qu'il y avait d'inconvenant dans ce langage et ce comportement. Il émit un rire nerveux qu'il adressa à tous ceux qui l'entouraient, dont certains étaient ses supérieurs. Il se consola en se disant que les proches du roi reconnaîtraient cette marque de déférence envers un invité de marque royale, un héros qui avait ramené cette jonque à bon port depuis les territoires de l'ouest.

Ce qu'il ne savait pas, c'était que Subaï, après être sorti du pavillon qu'il occupait avec Hisham, s'était dirigé vers la colline d'un pas nonchalant en saluant tout le monde dans les rues comme s'il était chez lui.

Après avoir observé un moment le déploiement sur la colline du manège militaire, il s'était dirigé jusqu'à la grande tente rouge et or, qui lui semblait être le point de vue idéal pour le spectacle à venir. Il crut, aux dimensions formidables de ce chapiteau, que c'était sûrement une cantine mise à la disposition des spectateurs. Cela tombait bien, il était affamé.

Mais, bien évidemment, il ne put s'approcher à moins de cinquante pas. Il fut chassé par deux gardes intraitables qui n'écoutèrent pas ses doléances.

Dans ce monde complexe du royaume Jin, l'espionnage avait été élevé en art absolu pour tout ce qui concernait le bon fonctionnement des affaires de l'État. Les dénonciations et la délation étaient monnaie courante et représentaient des outils essentiels entre les mains du roi et de l'aristocratie, mais aussi entre celles des bureaucrates qui répétaient avec subtilité et raffinement les façons de faire des Anciens.

Ainsi, après quelques extravagances en apparence inoffensives, Subaï avait attaché à ses pas de nombreux espions qui l'avaient repéré dans la foule, voyant en lui un étranger qui allait assister à la démonstration de la nouvelle arme secrète.

Le pauvre maître de port, qui, bien naïvement, se voyait déjà occuper un poste au ministère de la Marine, serait plutôt démis de ses fonctions. Il deviendrait chef de section des éboueurs du port chargés de vider les caniveaux de la chair de poissons morts et d'autres détritus pour assurer le bon écoulement des eaux pluviales. En accueillant Subaï à bras ouverts au su et au vu de ses supérieurs, il avait définitivement mis un terme à sa carrière dans la fonction publique.

– Bwahaha ! fit Subaï. Quelle blague, ces canons ! Ça fait du bruit, ça pétarade, mais c'est beaucoup trop lent. Comment voulez-vous faire la guerre avec des trucs pareils ? C'est bon pour les feux d'artifice du Nouvel An, sans plus !

On finit par mettre en place les canons de bronze, plus d'une centaine, les uns à côté des autres, dans un alignement impressionnant. À distance respectable, on avait disposé de nombreuses caisses et de nombreux tonneaux, et des chevaux de bois censés représenter l'armée d'Ögödei Khān.

– Oh ! Oh ! Oh ! continua le petit voleur de Karakorum. Il est beau, le khān, avec son armée de tonneaux qui sentent le poisson.

Le maître de port acquiesça avec un sourire forcé. Tout cela était extrêmement gênant pour lui. Il demanda à Subaï s'il n'avait pas d'autres gens à voir, mais le garçon ne l'écoutait pas, trop occupé à se moquer des effectifs du roi. Et le pauvre homme continuait à promener son sourire pathétique autour de lui, sur ses collègues et supérieurs, qui, eux, ne le regardaient pas, ne souriaient pas, mais dont on devinait qu'ils tendaient l'oreille pour entendre toutes les impertinences de son jeune invité.

Le général Jin, sur son cheval, leva son épée dans les airs. Il hurla à pleins poumons un ordre impossible à comprendre. Simultanément, les soldats debout devant les canons abaissèrent des torches pour allumer de longues mèches qui se mirent à pétiller. Quelques secondes plus tard, un vacarme effroyable fit trembler la mégapole en entier. Le bruit fut si assourdissant, l'onde de choc dans les airs si puissante, que tous ceux qui assistaient à la représentation crurent un instant que leur cœur secoué venait de s'arrêter de battre. Les canons, en chœur, déchargèrent leur feu destructeur. Le cheval de bois, les tonneaux et les caisses disposés au loin éclatèrent en mille morceaux qui volèrent haut dans les airs, avant de retomber à des kilomètres aux alentours. On avait voulu en faire trop. Le public avait reçu des éclats et fut incommodé un long moment par l'épais nuage de fumée que poussa le vent. Mais il fallait que le spectacle soit saisissant, qu'il impressionne par-dessus tout. Et, pour être saisi, le public avait été saisi. Tout le monde acquiesçait de la tête en applaudissant cette manœuvre militaire spectaculaire, inédite dans l'histoire du monde. Tous, excepté un jeune homme aux cheveux blonds qui se bidonnait sur son siège.

– Wouaaah! C'est pas croyable. Mais ça ne marchera jamais, ces bidules. C'est du tape-à-l'œil, sans plus. Ça va si vous voulez démolir des maisons. Mais ce que vous n'avez pas compris, les Jin, c'est que les Mongols vont déferler sur votre pays à cheval ! Expliquez-moi comment vous allez les plomber avec vos trucs qui prennent mille heures à installer. Ils vont zigzaguer entre vos pétards ! Ha ! ha ! ha !

Subaï essuya quelques larmes. Ça faisait longtemps qu'il n'avait pas rigolé autant. Il allait poursuivre ses moqueries lorsqu'il fut frappé violemment derrière la tête. Il plongea face première sur le sol. En moins de deux, il était sur pied et se retournait pour faire face à son agresseur, couteau en main.

Les fonctionnaires qui l'entouraient s'étaient écartés pour faire place à une dizaine de soldats. Ils appartenaient à une unité spéciale qui faisait office de police dans la ville. Les espions avaient fait leur travail en dénonçant le traître qui dénigrait le roi et son armée et essayait de faire avorter la démonstration.

— Vous êtes en état d'arrestation, dit un gros gaillard.

— Impossible. Je suis au service du roi.

— On ne discute pas.

— Tu vas voir si on ne discute pas, répondit un Subaï renfrogné qui ne digérait pas le coup vicieux qu'il venait d'encaisser. Tu ne sais pas à qui tu parles, mon bonhomme.

Trois soldats voulurent se saisir de lui, mais le petit voleur de Karakorum – si rapide – leur échappa en s'élançant et en hurlant à tue-tête en direction des bureaucrates. La vue de cet animal sauvage fonçant avec un couteau à la main créa un mouvement de panique dans la foule. Celle-ci se dispersa dans tous les sens, empêchant les hommes armés de suivre Subaï.

Courant à toute vitesse sur le sol sablonneux du manège militaire, il tenta de rejoindre Hisham au pavillon. Mais des gardes l'avaient repéré et ils arrivaient depuis le palais royal, lui bloquant le passage. Subaï bifurqua vers l'établissement des bains ; il se rappelait avoir vu une porte qui donnait de l'autre côté de la muraille. Il disparut par celle-ci en détalant sur un pont de bois qui enjambait un cours d'eau, pour se retrouver au beau milieu de la ville. Des sifflets retentissaient partout. Bientôt, il serait l'objet d'une recherche intensive qui se répandrait sur Keifeng comme une traînée de poudre. Et il décolla ventre à terre.

Il ne connaissait pas Keifeng, qu'il n'avait parcourue que sous escorte. Il devait impérativement se trouver une cachette. Poussé par son instinct, il se dirigea naturellement vers le seul lieu qu'il avait un tant soit peu fréquenté : le port de la rivière Bian.

À quelques reprises, il crut bien s'être perdu, mais plus il s'éloignait du centre de la ville, plus les quartiers lui parurent pauvres, et plus la foule était dense. Très vite, les sifflets se firent entendre de plus en plus loin, au fur et à mesure qu'il s'enfonçait dans des zones peu recommandables. Trois gardes passèrent au loin au pas de course, leurs bottes claquant sur les pavés des trottoirs. Subaï s'engouffra dans une ruelle. Puis son nez capta une forte odeur de poisson. Il se rapprochait de son but. En traversant une grande place pleine de monde, il distingua un grand entrepôt qui se dessinait comme un mur au-dessus du marché. Il reconnaissait cette grande bâtisse. Il l'avait vue pendant les manœuvres d'approche de la jonque. Elle donnait sur le port, il en était persuadé. Il fonça droit sur elle en se faufilant à travers la foule. Là, il vit des hommes qui travaillaient dur, affairés devant un immense tas de poissons-chats. Il se glissa à l'intérieur et trouva refuge parmi de grandes caisses de bois. Enfin, il put reprendre son souffle et remettre ses esprits en place.

Dehors, il y eut un brouhaha qui dura jusqu'à la nuit tombée. L'odeur du poisson commençait à lui donner la nausée. Mais Subaï se dit qu'il était mieux là où il était que dans les rues de la ville. Lorsque leur journée de travail fut terminée, les hommes quittèrent le grand entrepôt. Mais un type de grande taille vêtu d'une robe rouge demeurait là, ramassant les restes des poissons qu'il poussait avec un grand bâton. Lorsqu'il eut terminé sa tâche, il apporta une petite table remplie de papiers et où trônaient une plume et un pot d'encre. Ensuite, à l'aide d'une corde, il fit descendre du plafond une lampe qu'il alluma avec une allumette. Et, finalement, il s'en alla.

– Bon, enfin ! fit Subaï en sortant de sa cachette. C'est à croire qu'ils travaillent de jour comme de nuit, par ici.

Persuadé que c'était le bon moment pour filer, il dut cependant vite rebrousser chemin, car une bande de gaillards s'était présentée à la grande porte qui donnait sur le port. Non sans jurer, il se faufila de nouveau parmi les caisses.

Ces hommes portaient des bandeaux orange sur le front. Leur chef était plutôt court sur pattes, mais avait de larges épaules, une peau cuivrée, et un regard noir et dur. Ils maniaient tous un grand bâton noir, menaçant. Persuadé qu'il allait assister à une bagarre, Subaï, camouflé au sommet d'une pile de caisses surplombant cette scène étrange, se frotta les mains avec anticipation.

Il fut surpris de voir apparaître un drôle d'adversaire : un curieux petit bonhomme avec de longues moustaches, vêtu d'une robe blanche et rouge. Son visage était peint en blanc, et sa tête était coiffée d'un curieux chapeau surmonté de cornes noires. Il discuta un moment avec le costaud au regard cuivré qui agitait la tête en signe de dénégation à chacune des affirmations du petit homme.

Puis, la scène prit une tournure cauchemardesque tout à fait inattendue. Tandis que le diabolique Zao Jong, transformé en une créature épouvantable, dévorait le Laotien, le petit voleur de Karakorum s'élança au bas des caisses pour se réfugier contre le mur de l'entrepôt. Il demeura là, accroupi, épouvanté, les deux mains sur les oreilles pour ne pas entendre les cris de souffrance du pauvre homme et les bruits de déglutition de la bête immonde.

CHAPITRE 6

La quête

Ce fut une marche longue et pénible qui conduisit Zara, Darhan, Souggïs, Yoni, Yol et Mia à travers le Taklamakan, depuis l'oasis des Karakhanides jusqu'au premier pâturage qui annonçait le retour à la steppe. Au nord se dessinaient les monts Tian Shan qui fertilisaient la plaine grâce à leurs nombreux cours d'eau, nés de la fonte des glaces. Malgré la température, l'air chaud et sec, et malgré le sable, on trouvait des ruisseaux et des rivières en grande quantité et de l'herbe bien verte qui fit le bonheur des animaux. En chemin, ils en avaient perdu cinq autres qui étaient morts de soif et qu'il avait fallu abandonner aux charognards. Ce qui portait le total du troupeau à seize têtes.

Si, d'ordinaire, ils auraient dû être découragés de la perte d'un animal – signe de malheur pour l'éleveur –, la famille accueillit la mort de chacun des moutons avec fatalisme, sachant qu'il n'y avait rien à faire contre le désert impitoyable.

La veille encore, Darhan regardait la dernière bête haletant sur le sol aride, en train de rendre l'âme. Il entendit le chameau de Zara s'approcher et ressentit un pincement au cœur en voyant le bébé. À plusieurs reprises, Yoni et Mia avaient offert de prendre le nourrisson avec elles, mais Zara avait toujours refusé sans rien dire, persuadée que ce fardeau était le sien.

– Comment vas-tu? lui demanda Darhan.

– Ça va, répondit-elle. Mais mon cœur est engourdi. J'ai froid. J'ai peur que, si je l'éloigne de moi, il rende son dernier souffle.

– Je suis désolé. Tout est de ma faute.

– Tu n'as pas à t'en vouloir. Tu as fait ce qu'il fallait. Tu es bon et fidèle, en amour comme en amitié. Si c'est ça que les esprits veulent te faire payer, alors ce sont les esprits qui font fausse route. C'est à eux qu'il faut en vouloir.

– Nous devrons être courageux, lui répétait-il sans cesse tout le jour, et même la nuit, lorsqu'elle se réveillait au sortir d'un cauchemar. Je sais ce que nous devons faire pour sauver notre enfant. Mais il nous faudra être forts.

– Je suis prête à tout. Mais ne me quitte plus.

– Je serai toujours là. Cette dernière quête est la nôtre. Nous la mènerons ensemble.

Elle serrait contre elle l'enfant à la peau translucide et bleue qui bougeait à peine et ne pleurait jamais. Chaque fois, cela lui faisait l'effet d'un bloc de glace collé sur sa peau. Ce froid surnaturel se répandait jusqu'à lui saisir le cœur. Mais elle s'était juré d'aimer cet enfant contre-nature d'un amour infini, malgré la malédiction des esprits. Elle nourrissait son cœur des paroles douces de Darhan qui lui jurait que leur garçon serait grand et fort, qu'il aurait une âme exceptionnelle. Cela rendait supportable l'insupportable. Il fallait croire à tout prix.

Au fur et à mesure que le sol aride et sec faisait place à une herbe verte et que les cours d'eau étaient de plus en plus nombreux, Zara retrouvait une force qu'elle croyait perdue à jamais. Maintenant ragaillardie, elle regardait le ciel à l'horizon devant elle, embrassant l'enfant froid comme en un défi qu'elle lançait à tous les esprits, à tous les dieux du monde. « Notre amour sera le plus fort. » Et tous les membres de la famille goûtaient à leur manière le bonheur de retrouver une nature plus clémente.

– L'air est bon. Il est doux. On se sent mieux, n'est-ce pas ? fit Mia qui suivait derrière les moutons.

Mia, Yol et sa mère n'avaient maintenant que très peu d'efforts à fournir pour contraindre les bêtes à les suivre. Celles-ci étaient épuisées, mais heureuses de retrouver l'herbe des pâturages de la steppe. Elles suivaient à la queue leu leu, comme si elles craignaient qu'on les renvoie dans la terrible fournaise du Taklamakan.

– Oui, ma fille, on se sent beaucoup mieux. Il y a des montages au loin. Et j'y vois de gros nuages gris. Je pense que, très bientôt, nous retrouverons la pluie.

À la seule pensée de l'eau fraîche qui tombe du ciel, Mia sourit.

Le soir venu, alors qu'ils installaient leur campement au pied d'un rocher énorme qui semblait avoir été déposé là par un géant, la pluie commença à tomber. Ce fut un réel moment de bonheur pour tous. L'eau sembla les laver définitivement de l'infâme épisode de la tour des Karakhanides. Tout le monde retrouva le sourire, même Souggïs qui faisait des pitreries en envoyant Fleur galoper dans les flaques. Il faut dire que l'animal, d'une nature polissonne, ne se faisait pas prier.

Cette nuit-là, ils la passèrent dans des couvertures froides et humides. Un air glacial descendait des montagnes. Et tous grelottaient sans exception. Tous, sauf le bébé, qui comme toujours ne donnait pratiquement aucun signe de vie, agitant seulement sa tête bleue, comme si cette température de tous les diables ne l'affectait pas. Tout le monde, entassé sous la tente dressée en catastrophe au pied du rocher, s'amusa de cela, s'imaginant avoir là le compagnon idéal pour les froides nuits d'hiver.

Malgré la terrible malédiction, l'enfant trouvait le moyen de prendre sa place dans le petit cercle intime de la famille. Maintenant, il lui fallait une âme.

* * *

Au sortir d'un sommeil nerveux, Subaï ouvrit les yeux subitement. Il était affalé tout contre un amoncellement de déchets, et il lui fallut un long moment avant de reprendre ses esprits et de comprendre où il se trouvait et comment il s'était retrouvé là. Très vite, l'image de l'abominable créature fit surface en lui. Il sentit les battements de son cœur s'accélérer et, dans ses jambes, naître une folle envie de se mettre à courir. Jamais il n'oublierait le visage maquillé de blanc de ce petit bonhomme à la robe blanche et rouge.

– Eh! Qu'est-ce que tu fais là? Dégage, tu vas être malade.

Il se retourna pour voir un garçon d'à peu près son âge. Celui-ci était vêtu d'un grand tablier couvert de taches de nourriture. Il vida sur le sol un seau rempli d'une eau sale et graisseuse en faisant la grimace.

– Comment ça, je vais être malade?

– Tu parles d'une question! C'est plein de vers et de cafards, ce merdier pourri. Et il y a des rats. Si tu te fais mordre, tu vas attraper la gangrène ou la rage.

– La rage?

– Mon cousin Liu s'est fait mordre l'an dernier. Son pied est devenu immense. En quelques jours, sa peau est passée du rouge au bleu, ensuite au noir. Il y avait du pus écœurant qui sortait de la plaie. Des fièvres terribles le faisaient délirer jour et nuit.

– Et... il va mieux?

– Non. Il est mort.

Subaï s'éloigna à toute vitesse du tas de détritus en le regardant avec dédain. Comment il avait pu se retrouver à dormir dans ce tas de poubelles? Il l'ignorait. Tout ce dont il se rappelait, c'était qu'une fois que la chose eut terminé de dévorer l'homme à la peau cuivrée, elle s'était éloignée en rampant sur le sol comme un serpent ou un lézard. Il en avait profité pour déguerpir de l'entrepôt. Par la suite, tout était confus dans son esprit. Il avait erré dans les quartiers de la ville une partie de la nuit, comme s'il avait perdu la raison. Il se demanda soudainement si tout cela n'avait été qu'un rêve.

– Dis donc, fit le garçon, tu te cherches du travail ? Service, cuisine, vaisselle : parce que, dans ce resto, ce n'est pas le boulot qui manque. Le service, ce n'est pas ton genre. Je ne crois pas que le patron te laisse servir les clients. Je te verrais plus au récurage des chaudrons. Ou à l'entretien des feux, tiens ! Il faut toujours aller chercher du charbon de bois à la cave pour les fourneaux.

Subaï jeta un regard à la grande bâtisse de bois derrière laquelle il se trouvait. Il était dans une petite ruelle, dans la cour d'un des nombreux restaurants et tavernes de la ville. Plus loin, il vit quelqu'un jeter des déchets de nourriture. Une eau noire coulait sur le sol dans une rigole, au milieu de la ruelle malodorante.

– Du travail ? Euh… non. Je ne travaille pas.

– Tu ne travailles pas ? Qu'est-ce que ça veut dire ? Tout le monde travaille !

– Ben, pas moi. J'en ai pas besoin.

– T'en as pas besoin ? Ha ! ha ! ha ! C'est la meilleure. T'es pas d'ici, toi, ça paraît.

– Non. Pas d'ici.

Le garçon au tablier regardait Subaï en riant de bon cœur. Une voix hurla depuis l'intérieur du restaurant. Le petit hurla à son tour en s'approchant de la porte. Puis il tourna la tête une dernière fois vers Subaï.

— À Keifeng, il est interdit de mendier. Tu n'es pas chez les barbares, ici. Si les gardes t'attrapent, ils vont t'en trouver, un boulot. Tu ne seras pas payé, et tu seras mal logé et mal nourri. Et ce ne sera pas joli comme travail, je t'avertis. Si tu crois qu'elle est dégueulasse, cette ruelle, tu n'as rien vu.

Et pour la deuxième fois depuis qu'il était à Keifeng, Subaï se demanda qui donc étaient les barbares. Ceux qui venaient comme lui des tribus du nord? Ou alors, les gens dits civilisés, qui habitaient les villes et qui croupissaient sous un tas de lois absurdes et d'obligations? Plutôt vivre en liberté comme un animal sauvage qu'à la manière des porcs entassés dans une porcherie, voilà ce qu'il en pensait.

Il salua le garçon en déclinant son offre.

— Du travail? Non merci!

Il s'enfuit au pas de course pour émerger, au bout de la ruelle, dans une artère aux dimensions impressionnantes. Il y vit du monde comme jamais il n'en avait vu, même à Samarkand. Des marchands avec leurs charrettes, des badauds, mais aussi de magnifiques cavaliers sur des chevaux. Il y avait aussi des carrosses somptueux tirés par des attelages, ou encore par des esclaves tout autant parés que des chevaux.

Dans le soleil du matin, il traversa cette grande rue baignée par la foule.

En se faufilant entre tous ces gens affairés, il aperçut un grand espace traversé par une rivière, où poussaient des arbres et des fleurs. Des vieux se prélassaient ou jouaient à des jeux bizarres, assis sous les arbres. Des gens se baladaient tout simplement le long du petit cours d'eau qui circulait dans le canal de pierres rosées. Subaï connaissait les jardins qu'aménageaient les riches dans la cour de leur maison. Mais c'était la première fois qu'il en voyait un aussi grand, et ouvert au public. Un drôle de truc qu'on appelait un parc : un peu de nature, recréée en pleine ville pour calmer les nerfs des citadins qui devaient composer avec la pression du quotidien.

Le petit voleur déambula le long des allées en saluant tout le monde de la tête, en respirant l'air à pleins poumons, un immense sourire sur le visage. L'une des choses qui le surprirent le plus, ce fut de voir des femmes se balader. Il en vit passer quelques-unes vêtues de grandes robes somptueuses, avec de longues traînes que tenaient des serviteurs derrière elles. Elles tenaient à la main des ombrelles de toutes les couleurs, assorties à leurs robes, avec lesquelles elles jouaient en les faisant tourner au-dessus de leur tête.

En Mongolie, les femmes, on les voyait partout, participant au train-train quotidien. Elles étaient d'ordinaire accoutrées de frusques, mais belles dans leurs robes cérémoniales les jours de fête, et toujours sérieuses, se consacrant à vivre et à faire vivre leur famille dans le monde difficile de la steppe. Chez les Perses, les femmes étaient quasiment absentes de la vie publique. Si on les voyait passer, c'était vêtues de manière très austère, et l'on voyait à peine leur visage. Mais, surtout, Subaï n'avait jamais vu qui que ce soit – homme ou femme – se balader par pur plaisir, avec une telle insouciance. Jamais il ne s'était imaginé qu'une chose pareille puisse se produire. Et, bien évidemment, c'était la première fois qu'il voyait des dames aussi élégamment mises que celles-ci, avec leurs robes de soie fine et colorée, leur visage maquillé et leur chevelure noire surmontée de coiffes parées de fleurs et de rubans. Ce qui le charmait par-dessus tout, c'était le rire de ces grandes dames : des rires musicaux, qui éclataient de manière spontanée en s'harmonisant d'une manière quasi parfaite au chant des oiseaux de ce grand jardin.

Subaï trouva un petit banc de pierre et s'y assit. Il y demeura pendant une partie de la journée, regardant passer des cortèges de femmes, comme des fées. Il lui sembla qu'il ne pouvait exister de vie plus parfaite que celle qu'il voyait dans ce jardin. Mais bien sûr, tout était faux et artificiel. Les arbres et les fleurs ne poussent pas de cette manière. Il n'y aurait pas tous ces oiseaux si quelqu'un ne s'occupait pas de les nourrir. Cette nature n'était en fait qu'une reproduction aménagée à la force de bras et au prix de sueurs abondantes. Et ces balades mondaines ne pouvaient exister que pour les biens nantis. Subaï n'aurait eu qu'à retraverser la grande artère pour replonger dans l'atmosphère glauque et suffocante de la ruelle des restaurants, et pour se rendre compte de ce qu'était la vie des gens ordinaires : la vie difficile de ceux qui travaillaient dur pour que cette vie de pacotille, que menaient les riches, soit possible.

Il était plongé dans ses rêveries, hypnotisé par cette beauté et cette insouciance, lorsqu'il entendit une voix qu'il reconnut aussitôt. Il soupira, choqué de se voir dérangé dans ce moment de douce béatitude.

– Ah ! te voilà, canaille.

C'était Hisham, bien sûr. Il avançait dans les allées fleuries, énorme et poilu, en colère, comme un ours mal léché dans ce paysage de beauté. Ce qui fit grimacer Subaï qui leva les yeux au ciel. Le Perse se plaça devant lui, bras croisés, l'air réprobateur.

– Tandis que je le cherche en me faisant du mauvais sang, monsieur se prélasse parmi les fleurs ! Non mais, pour qui tu te prends ?

– Euh… tu veux t'enlever de là, espèce de grotesque ? Tu me caches la vue et tu gâches ces splendeurs.

– Petite peste ! Je t'avais dit de ne pas quitter la chambre. Que tu nous attirerais des ennuis !

– Des ennuis ? Mais quels ennuis ?

– Je vais te le dire, quels ennuis, p'tit malin. Après ta performance imbécile au manège militaire, Ji Kung a été mis aux arrêts. Il a été interrogé pendant toute la journée. Il a fallu toute la force de sa conviction et l'intervention du roi Aïzong lui-même pour le sortir de là. Et encore, il est assigné à résidence. Il ne peut plus sortir de la cité impériale. Et, en ce qui nous concerne, au lieu des honneurs qui nous étaient dus pour nos exploits, nous voilà repartis en galère !

– En galère ?

– Service du roi. Nous devons accompagner une personnalité importante dans un voyage jusqu'à Pékin.

– Qu'est-ce que c'est que cette histoire ?

Hisham s'écarta pour laisser passer deux jeunes femmes et leur impressionnante escorte de serviteurs et de gardes privés. Elles appartenaient visiblement à une famille très riche.

Elles ne purent s'empêcher de rigoler en voyant le Perse avec sa grosse barbe, ce qui, dans ce pays, était vu comme une bizarrerie, mais aussi comme un signe de malpropreté.

Toujours très poli, Hisham inclina la tête en signe de respect et de déférence. Les jeunes femmes rigolèrent de nouveau, en imitant cette fois-ci les grognements d'un ours. Le Perse se releva avec son plus beau sourire.

– Elles se moquent de toi, je te signale, dit Subaï.

Hisham se renfrogna et haussa les épaules, le visage tout rouge. Évidemment, il n'avait pas été insensible aux charmes des jeunes filles.

– Pas mal, hein ? ajouta le petit voleur de Karakorum, une main sur le cœur, les yeux vers le ciel.

– Euh, oui… mais trêve de futiles distractions. Nous allons travailler pour les services secrets.

– Comment ça ?

– Tout le monde sait que nous sommes aux arrêts à cause de tes idioties. Nous serons embarqués comme esclaves sur la péniche de cet homme important qui s'en va à Pékin…

– Eh, attends une minute. Ça veut dire quoi, ça ?

– Ça veut dire que les services secrets du roi Aïzong ont des doutes sur la loyauté de cet homme. La guerre approche. Nous devons surveiller ses faits et gestes et faire un rapport à Ji Kung qui nous attendra à Pékin.

– Non, non, non… Ça veut dire qu'on va ramer sur une péniche jusqu'à Pékin ? Oublie-moi, d'accord, mon gars ? Je n'irai pas ramer sur ta péniche. J'ai trouvé le bonheur, moi. Je reste ici et je regarde les filles.

Hisham expliqua alors à Subaï que les hommes qui se trouvaient à chacune des entrées du grand jardin étaient des officiers des services secrets. C'étaient eux qui avaient retrouvé le petit voleur et qui avaient signalé sa présence dans ce parc. Ils attendaient la fin de cette discussion pour emmener les deux compagnons sur la péniche. S'ils ne coopéraient pas, ils allaient passer par les dédales obscurs de ce ministère dont les expériences millénaires en matière de torture étaient soigneusement consignées et rangées dans une bibliothèque immense. On disait des membres de ce service qu'ils s'exerçaient à l'art de la cruauté avec des raffinements insoupçonnés.

Subaï réfléchit un moment en regardant les gaillards qui se tenaient plus loin. Puis il acquiesça en disant que ça tombait bien et que, justement, il avait besoin d'un peu d'exercice.

Ils marchèrent sous bonne garde jusqu'à la péniche amarrée dans le port de la rivière Bian, tout juste derrière la jonque qu'on s'affairait à restaurer. Des hommes étaient montés au mât pour réparer les grandes lattes des voiles qui avaient cédé lors la dernière tempête.

Cette grande barge, dont on voyait de longues rames sortir par les cales, au grand désespoir de Subaï, était coiffée d'un bâtiment qui ressemblait à une maison et qui respectait en tout point les rigueurs architecturales de la ville de Keifeng, telles qu'elles étaient stipulées par la loi. On y retrouvait cette forme rectangulaire, qui suivait la courbe du bateau cette fois, avec ce toit en diamant aux quatre coins relevés vers le ciel. À la proue se dressait une figure étonnante : un grand dragon joliment sculpté, peint en rouge.

Aussitôt embarqué, la première chose que fit Subaï fut de lorgner par les fenêtres. Mais les lourds rideaux étaient tirés et les volets, fermés. Il fut invectivé par le chef de bord, un homme rustre.

— Si je te vois t'approcher encore de cette cabine, je te mets aux fers, compris ?

Subaï haussa les épaules. Il finirait bien par découvrir tout ce qui se trouvait sur cette péniche. Et puis, n'était-ce pas là sa nouvelle mission : espionner ? Voilà qui, au fond, le rendait heureux. Il était convaincu d'être venu en ce monde pour être espion.

Ils prirent place dans l'immense cale traversée d'une varangue à l'autre par de grandes planches qui faisaient office de sièges pour les rameurs.

– Ça bouge là-haut, protesta Subaï en regardant le plafond de la cale, se doutant qu'ils se trouvaient directement sous les quartiers de ce personnage soi-disant important. Et dire qu'on devait nous traiter comme des héros. Nous voilà de retour aux travaux forcés.

– Tu n'avais qu'à ne pas faire le pitre.

– Il n'avait qu'à ne pas m'inviter au spectacle, ce Ji Kung. C'est pas lui qui rame, je te signale.

Hisham leva les yeux, tandis que le chef de bord se mettait à hurler des ordres. Les amarres furent larguées et, lentement, la péniche se déplaça entre les centaines de bateaux naviguant sur la rivière Bian, sous les coups de rames habilement dirigés par le chef. Ils glissèrent ainsi vers le Grand Canal, construit à l'époque de la dynastie Tang pour favoriser le transport des marchandises et les échanges commerciaux aux quatre coins de la Chine. Par contre, avec les avancées des Jin en territoire Song au siècle dernier, des barrages et des écluses avaient été détruits à la frontière des deux pays pour empêcher toute tentative d'invasion par les voies navigables. La dynastie mongole Yuan, au siècle suivant, tenterait de restaurer le Grand Canal dans son intégralité : un projet qui serait achevé par la dynastie Ming, plusieurs centaines d'années plus tard.

– Et c'est qui, ce bonhomme qu'il faut escorter jusqu'à Pékin ? demanda Subaï entre deux coups de rames.

– C'est l'un des hommes les plus riches du royaume Jin, répondit Hisham. Un marchand de produits médicinaux. Il s'appelle Zao Jong.

* * *

C'était une autre journée torride dans le désert de Taklamakan. La route de pierre était brûlante, mais les chameaux avançaient bien, guidés par un chamelier d'expérience qui avait parcouru ce chemin des centaines de fois. Il conduisait un important groupe de marchands qui revenaient du royaume tangut, maintenant tombé sous le joug des Mongols. Les affaires avaient été bonnes. Les aristocrates tangut avaient vendu leurs biens à bon prix, avant de prendre la fuite pour éviter d'être exécutés par les guerriers de Gengis Khān. Évidemment, les marchands avaient croisé de nombreuses troupes mongoles et ils avaient dû, chaque fois, négocier leur passage et se départir d'une portion de leurs avoirs.

Néanmoins, la grande caravane s'en allait vers Kachgar, chargée des produits somptueux que les marchands vendraient à prix d'or sur les marchés du Moyen-Orient. Cette traversée du désert semblait pour eux être le dernier obstacle avant de nager dans la richesse la plus absolue.

Le chamelier s'appelait Mahmoud. Il était originaire d'une tribu qui vivait dans un caravansérail, une oasis située non loin de Kachgar, sur la route du sud. Son père lui avait tout appris : l'art de guider les chameaux dans le désert, bien sûr, mais aussi, l'art du négoce. Car il fallait chaque fois, en tant que pilote dans le Taklamakan, négocier son prix. Les plus grands marchands faisaient affaire avec lui, car il connaissait tout le monde, et ils savaient que leurs marchandises étaient en sécurité. Mahmoud se faisait une fierté d'être le meilleur et de faire payer le plus cher. Ces marchands, il les avait trouvés au grand marché de Karakorum. Il n'avait eu qu'à s'y présenter. Il était connu, et l'affaire fut conclue rapidement, malgré le prix exorbitant qu'il exigeait pour ses services.

Du désert, Mahmoud pensait avoir tout vu. Âgé de plus de quarante-cinq ans, il croyait ne plus jamais être surpris sur cette route qu'il avait parcourue inlassablement. Mais c'était sans compter ce qu'il vit ce jour-là.

Au loin apparut ce qui semblait être un carrosse, ou alors une charrette, il ne savait pas. À la lumière éblouissante du soleil, la forme qui s'approchait était difficilement identifiable. Il s'étonna qu'on puisse se déplacer avec un cheval en cette saison. Les chevaux avaient besoin de beaucoup d'eau et supportaient très mal la chaleur. Au fur et à mesure que cet étrange attelage avançait, le chamelier fut de plus en plus persuadé qu'il n'était pas conduit par un cheval. Mais quel était donc cet animal qui tirait ce qui, maintenant, ressemblait à une voiturette à deux roues ? Mahmoud dut se frotter les yeux à plusieurs reprises quand il constata que cet animal était en fait un homme qu'on avait attaché comme une bête de somme.

Il était court sur pattes et portait un grand turban autour de la tête. Il se déplaçait sur ses courtes jambes, son torse nu couvert de sueur. Son ventre rond et proéminent était luisant. Ses sandales usées, attachées avec des lanières de cuir qui remontaient sur ses chevilles, menaçaient de se désintégrer. Concentré sur la charge qu'il tirait, cet homme étrange allait passer près de Mahmoud et son convoi sans même les apercevoir. Ce fut le chamelier qui l'arrêta pour s'assurer qu'il n'était pas en train d'halluciner et que cet homme était bien réel.

L'homme s'immobilisa et se mit à souffler, hors d'haleine, son corps légèrement penché en avant creusant trois plis sur sa grosse bedaine.

– C'est déjà le soir ? demanda-t-il finalement, fixant ses yeux pâles sur le chamelier.

– Heu… non, fit ce dernier. Il reste encore quelques heures de soleil.

– Ah bon !… Je n'aime pas m'arrêter. Vous comprenez, ma charge est si lourde que lorsque j'ai un bon élan, j'aime bien le garder.

– Vous prendrez peut-être un peu d'eau ?

– Ce n'est pas de refus. Pas trop, par contre. Ça me donne des crampes.

Le petit homme attelé saisit la gourde qui lui tendit Mahmoud pour boire quelques gorgées. Pendant ce temps, le chamelier examinait la voiturette à deux roues, surmontée d'un petit toit soutenu par quatre petites colonnes sculptées en spirale et orné de rideaux mauves aux franges dorées.

– Narhu ! fit une voix criarde de l'intérieur du carrosse, ce qui fit sursauter Mahmoud.

Le petit homme grassouillet tendit prestement la gourde au chamelier en levant des yeux exaspérés vers le ciel.

– Oui, maîtresse ? répondit-il.

– Pourquoi sommes-nous arrêtés ?

– Il y avait un convoi sur la route.

– Et alors ? Nous sommes pressés, ce n'est pas le temps de bavarder !

Narhu soupira longuement. Le visage grimaçant, il recommença à tirer sa charge qui roula péniblement sur la route caillouteuse, avant de prendre son rythme.

– Je suis désolé, monsieur, fit celui qui s'appelait Narhu. Je dois y aller. Bonne fin de journée !

Mahmoud, toujours incrédule, regarda ce curieux carrosse et son attelage incroyable disparaître au loin sur la route en direction de l'est. Le chamelier se demanda s'il ne valait pas mieux garder cette histoire pour lui. Après chaque traversée, il avait l'habitude de rentrer dans son village pour raconter son voyage. Il se dit que, cette fois, s'il devait parler de cette curieuse aventure, tout le monde se moquerait de lui en pensant que le soleil lui avait trop plombé la tête.

L'intérieur de la voiturette était constitué d'un siège unique rembourré et de quelques coussins. C'était un espace très restreint où se trouvait une femme habillée d'une robe très chic, mais aussi très sale, preuve qu'elle ne s'était pas changée depuis fort longtemps. Assis à côté d'elle, dans des vêtements blancs tout aussi sales, tachés de sang et de terre, un gros homme qui ne s'était pas lavé depuis des semaines et dont les aisselles dégageaient une odeur pestilentielle.

Le gros bonhomme dormait, son visage tout en sueur caché sous une serviette blanche. Il s'éveilla après que la dame à ses côtés eut crié à s'époumoner. La voiture venait de se remettre en marche. Il épongea sa grosse figure avec la serviette.

– Que s'est-il passé, ma bonne Li-li? Pourquoi nous sommes-nous arrêtés?

– Ah, Ürgo! Je suis désolée que cet incident ait troublé votre sommeil. C'est ce bon à rien de Narhu. Pas moyen de respecter l'itinéraire avec ce fainéant. Il est toujours arrêté. Si ça se trouve, nous serons en retard à Karakorum.

– Décidément, vous êtes trop bonne pour lui, ma mie. Il ne vous mérite pas.

– Bah… Que voulez-vous? On choisit ses amis, mais on ne choisit pas sa famille. Il faut faire avec. Quel malheur pour ma mère que d'avoir mis cet imbécile au monde! Encore heureux que je m'en occupe.

– Votre traître de frère a laissé s'échapper cette maudite Zara qui a volé notre enfant.

– Oh !.. Vous qui auriez fait un père extraordinaire, j'en suis désolée. Et je vous demande pardon.

– Mais voyons, ne vous excusez pas. Vos soucis sont les miens, ma chère Li-li. C'est moi qui devrais vous demander pardon.

– Mais pourquoi donc ?

– Nous avions une belle maison, des serviteurs… Je n'ai pas été à la hauteur.

– Oh ! Ürgo, voyons !… Mon gros ours des steppes.

N'importe quel être humain normalement constitué aurait été dégoûté par les effluves nauséabonds que dégageait Ürgo. Jamais quelqu'un n'avait senti aussi mauvais. Mais il semblait que Li-li, loin d'en avoir des haut-le-cœur, en était charmée, car elle se colla tout contre lui en humant à plein nez son parfum fétide.

– Ce n'est pas votre faute. C'est à cause de la révolution.

– Oui, mais j'aurais dû prévenir cette révolution. J'aurais dû contenir les passions déraisonnables de mon peuple. Voilà une qualité qui fait les grands souverains.

– Vous êtes trop bon, Ürgo. Votre bonté vous perdra. Vous croyez encore en la bienveillance des hommes et des femmes de ce monde? Les gens de Kachgar ont abusé de vous et de vos largesses.

– Ah!… je sais. Je suis un grand naïf.

– Il vous faudra apprendre à être plus méfiant. Sinon vous allez tout perdre.

– Mais… j'ai tout perdu!

Madame Li-li baissa les yeux en faisant la moue. Ürgo comprit aussitôt la nature de sa bourde. Il se releva sur son siège en exposant son ventre proéminent.

– Mais non, je n'ai pas tout perdu. Il me reste le plus important : vous, ma bonne amie!

Et Li-li sourit à nouveau.

– Vous verrez, mon bon Ürgo. Avec notre savoir-faire, notre intelligence et notre force, la prospérité sera vite de retour. Très vite.

– Et cette fois, nous ferons preuve de plus de rigueur. Trêve de bonté!

– Ça, c'est parlé!… Narhu!

Madame Li-li avait passé la tête au rideau.

– Pourquoi sommes-nous arrêtés de nouveau?

– Parce que c'est la nuit, ma sœur! fit la voix exténuée de Narhu.

– Je t'ai déjà dit de ne plus jamais m'appeler « ma sœur »!

– Mais… maîtresse, il faut se reposer. Vous devez être épuisée.

– Il veut se reposer, le paresseux, fit la mégère en reprenant place sur le siège.

– Bah… Laissez faire. S'il le dit.

– Vous voyez, Ürgo, vous êtes encore trop bon.

– Mouais… Difficile de lutter contre sa propre nature. S'il vous plaît, dites à Narhu de bien nettoyer le sol et de le débarrasser des cailloux avant de monter la tente. La nuit dernière, j'ai dormi contre une grosse pierre et j'ai eu mal au dos toute la journée.

– Oh! Mon pauvre ami. Vous avez fait ce voyage dans la douleur sans jamais vous plaindre. Quelle grandeur d'âme! Ce petit sacripant n'a pas fini d'en entendre parler.

Et, sur le bord de la route, Li-li corrigea le pauvre Narhu à coups de fouet, sous les applaudissements nourris d'Ürgo, ému du savoir-faire de sa belle.

CHAPITRE 7

Fourberies

Le calvaire du pauvre Narhu se poursuivit pendant de longues semaines. La sortie du désert fut pour lui un grand soulagement. Il croyait avoir laissé le pire derrière lui. Tirer la voiturette ainsi, sous un soleil de plomb, le sol brûlant sous ses pieds, lui fit penser que rien ne pouvait être plus pénible. Malheureusement, c'était sans compter les monts de l'Altaï. Ce fut une autre tâche impossible à laquelle s'attela le petit rondouillet, sous les insultes constantes de madame Li-li et les railleries d'Ürgo.

Finalement vint le jour qu'il croyait ne jamais voir. Soulagé, il arrêta la voiture au beau milieu de l'après-midi. Aussitôt, le rideau mauve s'ouvrit et la figure haineuse de sa sœur apparut. Celle-ci tenait dans sa main un fouet, prête à corriger l'impertinent qui voulait encore se reposer.

– Espèce de sans-cœur ! Tu ne vois pas que nous sommes en train de mourir dans cette voiture?! Sais-tu quel supplice tu nous fais subir chaque fois que tu t'arrêtes?!!

Mais Narhu ne chercha pas à se défendre, ni à se défiler. D'ordinaire, il aurait prétexté un caillou dans sa chaussure, une morsure de serpent, n'importe quoi pour souffler une petite minute. Mais cette fois, il sourit simplement en pointant du doigt le paysage qui s'étendait devant lui.

– Coquin! s'exclama Li-li. Tu as bien failli nous avoir! Ürgo! Ürgo! Nous y sommes! Nous avons réussi!

La grosse tête bouffie et toute rouge d'Ürgo passa par le rideau. Il sourit à son tour en hochant la tête. Voilà une éternité qu'il n'avait pas foulé ces terres. Dans la grande vallée du fleuve Orkhon s'étendait, plus impressionnante que jamais, la cité des Mongols : Karakorum. Jamais l'oncle de Darhan ne l'avait vue aussi grande, aussi magnifique. Il devait y avoir des dizaines de milliers de yourtes installées tout autour, formant une mer infinie de petites taches blanches sur l'horizon verdoyant de la steppe. En son centre, les bâtiments de bois et de pierre s'étendaient de chaque côté du fleuve et formaient un ensemble qui n'avait plus rien à envier à Kachgar ou même à Samarkand. À sa grande surprise, Ürgo découvrit une muraille impressionnante faite de pierres orangées qui s'élevait sur tout le pourtour, au sud et à l'ouest. Et le vieux palais de bois de Gengis Khān avait été détruit. Dorénavant s'élevait à sa place une construction immense, un palais somptueux qui dominait toute la ville.

Ürgo versa une larme qu'il essuya avec un vieux mouchoir de soie tout sale. Li-li, émue de voir son homme se laisser aller à tant d'émotions, ne put retenir ses larmes, elle non plus.

— Ce fut un voyage si difficile, si pénible, se lamenta-t-elle. Mais, enfin, nous y sommes. Nous avons réussi ! Comme elle est belle, votre ville, Ürgo. Nous sommes chez vous !

— Eh oui, chez moi, enfin…

Il parut hésitant. Il regarda derrière lui comme s'il cherchait quelque chose.

— Mais que faire ? poursuivit-il. Je suis parti depuis si longtemps. Et je reviens sans le sou, après toutes ces aventures. Je me sens comme un étranger chez moi. Quelle honte !

— Ne vous découragez pas, mon ami. Nous saurons faire bonne figure, vous pouvez compter sur moi.

Elle lui suggéra de se rendre au palais d'Ögödei Khān en tant qu'intendant, comme si rien n'était arrivé. La nouvelle de la révolution de Kachgar ne pouvait être parvenue jusqu'à Karakorum. Il était normal que le premier magistrat de la ville vienne rendre hommage au nouvel empereur. De cette démarche, il devait y avoir sûrement quelques avantages à tirer. Il fallait profiter de toutes les possibilités qui s'offraient à eux. Quand Ürgo fit observer qu'on ne pouvait rendre hommage à l'empereur des Mongols les mains vides, madame Li-li lui répondit qu'avec une bonne préparation, tous n'y verraient que du feu.

— L'important, c'est de rencontrer le khān. Vous avez certainement de la famille, des connaissances qui peuvent nous aider.

Et en effet, un nom vint immédiatement à l'esprit d'Ürgo. Et il croyait savoir où trouver cette personne.

Ils se rendirent sur une pointe de terre au bord de l'Orkhon, où Ürgo avait l'habitude de s'installer avec son troupeau pendant le Naadam et la foire d'automne de Karakorum. Évidemment, cet endroit prisé, à l'abri du vent, était déjà occupé. Ürgo se réjouit de constater que la personne qui s'y trouvait était son cousin, un brillant éleveur qui lui avait toujours envié ce lopin de terre. Ürgo disparu, l'éleveur s'y était installé sans attendre.

— Eh bien, eh bien ! murmura l'affreux pour lui-même. Ce cher cousin n'a pas tardé à m'oublier, je crois.

— C'est votre territoire ? demanda Li-li.

— Oui.

– Et il l'occupe sans votre permission !

– Exactement.

– Alors, tout va bien !

Li-li parlait comme une femme qui avait perdu, non pas une fois, mais deux fois son honneur et sa richesse. Elle demeurait inébranlable dans sa foi en l'avenir. Rien ne semblait pouvoir la décourager, et son enthousiasme pour les fourberies était inébranlable. Elle savait d'expérience qu'à force de malhonnêteté, on pouvait toujours réussir dans la vie.

Li-li et Ürgo passèrent le reste de la journée à laver leurs vêtements au bord de la rivière afin d'être le plus présentables possible. On abandonna la voiturette qui avait grandement souffert du voyage dans le désert et menaçait de s'effondrer à tout moment. Avec les rideaux mauves, Li-li fabriqua un grand bandeau qu'elle enroula autour de la tête de Narhu. Puis, une fois qu'ils se trouvèrent plutôt bien, avec leurs cheveux peignés et leurs vêtements propres, ils allèrent à la rencontre de cet éleveur, le cousin d'Ürgo.

Il s'appelait Dim. C'était un éleveur de chevaux très talentueux qui avait remporté plusieurs concours. Il était reconnu dans tout le pays. Membre de la grande tribu des Qiyat, il avait su, au fil des années, profiter des guerres de Gengis Khān, et il s'était passablement enrichi. Maintenant, il était vieux et malade, et ne pouvait plus monter à cheval à cause de douleurs à la hanche. Mais il se réjouissait de laisser un héritage considérable à ses descendants. Il était assis devant sa yourte et regardait deux de ses petits-fils qui montaient une bête récalcitrante : un étalon d'à peine deux ans qui affichait une belle vigueur. Même s'il savait que les deux jeunes hommes ne l'entendaient pas, il continuait à leur prodiguer de nombreux conseils en les pointant avec le bâton qui lui servait de canne.

Le vieux Dim fut le premier à voir cet étrange cortège descendre la colline. Un gros homme habillé en blanc de la tête aux pieds, une femme richement vêtue portant des bijoux éclatants, et un curieux petit bonhomme torse nu et bedonnant, arborant un énorme turban mauve sur la tête. Il se gratta la tête un long moment en se demandant qui étaient ces hurluberlus, jusqu'à ce qu'il reconnaisse enfin son cousin. Il se leva de son siège, incrédule, comme s'il voyait un revenant.

Ürgo, sans se soucier de l'air secoué de son cousin, marcha jusqu'à lui les bras ouverts et la larme à l'œil. Il le souleva de terre dans une longue étreinte affectueuse, lui disant combien il était heureux de le revoir. Puis il présenta

Li-li comme étant sa femme et Narhu, leur serviteur.

– Ürgo, mon cousin, fit le vieux Dim, décontenancé. Quelle surprise de te voir ! Si je m'attendais à ça… Quand j'ai entendu dire que tu étais devenu intendant de Kachgar, forban, je n'en croyais pas mes oreilles. Il a fallu que je l'entende de trois sources différentes avant de me faire à cette idée. Mais comment est-ce possible ? Et qu'est-ce que tu fais ici ?

– Quand j'ai appris la mort de Gengis Khān, je me suis précipité vers Karakorum pour venir présenter mes hommages à Ögödei. Il faut que j'assure mes arrières, tu comprends. Rien ne nous est acquis en ce monde et il faut chaque fois trouver grâce aux yeux de nos souverains.

– Ah, mais je comprends très bien. Je vois que tu es devenu un fin politique. Ce que je ne serai jamais. Tout ce qui m'intéresse, ce sont les chevaux.

– Je vois que tes affaires vont bien, déclara Ürgo en regardant les deux jeunes hommes qui s'affairaient au dressage de l'étalon.

– Très bien. La demande ne cesse d'augmenter, et les prix de monter. Je vends des poulains non dressés à prix d'or. Imagine !

– Je suis très heureux de constater que tout se passe bien pour toi, Dim. Tu sais, là-bas, à l'autre bout du monde, je m'inquiétais pour toi et ta famille.

– Tu es bien bon. Et moi, je suis très heureux de te voir, cher cousin. Tu sais que tu es devenu la fierté de notre sang. Un intendant dans la famille, qui l'eût cru?

Puis le vieux Dim prit un air soucieux.

– Comment va ta sœur, Yoni? Elle est toujours avec toi?

À la mention de Yoni, les yeux d'Ürgo se remplirent de larmes. Il devint tout rouge et se mit à respirer péniblement. Dim, mal à l'aise, recula de quelques pas pour plonger une tasse de métal dans un seau d'eau. Il la tendit à son cousin. Celui-ci la porta à ses lèvres, puis la jeta aussitôt au sol en émettant un son horrible, se tenant la gorge à deux mains comme s'il s'étouffait. Madame Li-li s'était approchée, mouchoir en main, et elle essuya les larmes qui coulaient sur son gros visage bouffi.

– Mais, par tous les ancêtres, qu'est-ce qu'il a?! s'exclama Dim.

– Ce pauvre Ürgo, dit Li-li, qui épongeait maintenant l'écume qui coulait aux coins de sa bouche. Depuis la mort de sa sœur, il subit un véritable choc lorsqu'on prononce le nom de la défunte.

– Yoni… morte?!

– Eh oui, poursuivit Li-li en prenant des airs affligés. Aussitôt qu'Ürgo a été nommé intendant à Kachgar, un chef de tribu, mécontent qu'un étranger ait été placé à la tête de la ville, a capturé Yoni et ses deux filles. Sans attendre, Ürgo a mobilisé une armée et a parcouru inlassablement les monts Tian Shan à la recherche des ravisseurs. Il a fait exécuter de nombreux chefs de guerre susceptibles d'être mêlés au complot, ce qui lui a valu de nombreuses réprimandes de la part de ses conseillers. Il s'est fait de nombreux ennemis, mais Ürgo n'en avait cure. Il n'avait qu'une idée en tête : retrouver sa sœur qu'il aimait. Il est malheureusement arrivé trop tard. Un jour, un indicateur lui a dit où Yoni et ses filles étaient retenues prisonnières. Il les a retrouvées dans un boisé de conifères au bord d'une rivière, lâchement assassinées. Les corps étaient encore chauds. Ürgo s'est effondré à leurs côtés et a pleuré toutes les larmes de son corps. Peu de temps après, il a retrouvé l'assassin et l'a exécuté de ses propres mains. Mais jamais il ne s'est remis de cette horrible épreuve.

Dim parut bouleversé par l'affreuse nouvelle. Il les invita aussitôt à entrer dans sa yourte. On coucha Ürgo dans un lit, lui qui tremblait comme s'il était atteint de la fièvre jaune. Li-li le couvrit d'une couverture de laine. Puis, avec une compresse d'eau froide, elle lui épongea le front et le visage.

– Et ça dure longtemps, ces crises ? s'inquiéta le cousin.

– Non. Un peu de calme, un peu d'amour, et tout rentre dans l'ordre.

Dim sourit. Mais il sursauta en voyant Ürgo qui s'était relevé subitement sur sa couche et qui se lamentait comme un veau, en gémissant d'une voix brisée.

– Ah ! Yoni ! Yoni ! Ma petite sœur adorée ! Pourquoi ? Mais pourquoi ? ! !

Et il éclata en sanglots dans les bras de Li-li qui le serrait contre elle en le berçant et en lui tapotant le dos.

– Voilà, fit-elle. C'est terminé, maintenant. Tout est terminé.

En effet, Ürgo sembla reprendre ses esprits. Une fois ses larmes séchées, sa respiration retrouva un rythme normal. Il demanda à son cousin de s'approcher. Dim s'agenouilla à son chevet, comme il l'aurait fait devant un mourant.

– Tu connais maintenant la terrible histoire, mon cousin.

– Oui, Ürgo. Et sache que je partage ta douleur. Je compatis.

– Je me suis fait de nombreux ennemis à Kachgar qui ne comprennent pas l'amour qu'un frère peut porter à sa sœur. Ils m'en veulent d'avoir mobilisé cette armée. D'avoir fait la guerre pour une femme... Mais c'était pour Yoni! Tu comprends?!

– Mais oui, Ürgo. Je comprends.

– Officiellement, si je suis à Karakorum aujourd'hui, c'est pour présenter mes hommages au nouveau khān. En mon nom et en celui des habitants de Kachgar, je viens offrir un magnifique troupeau de moutons de trois cents têtes, cinquante chameaux, du vin et du bois de cèdre. Mais officieusement, je suis venu parler de l'insurrection qui guette la ville. Je dois avertir le khān que son nom est bafoué là-bas, chaque jour, par un peuple ingrat.

Dim servit du thé qu'ils burent en silence. La yourte de l'éleveur était meublée avec goût. Des tapis d'Orient et des meubles de chêne témoignaient du bon goût de celui-ci, mais aussi de sa richesse. Ce qui ne manquait pas de faire des envieux. Des envieux qui buvaient son thé en ce moment même.

– Imagine, poursuivit Ürgo, ils m'obligent à monter sur un chameau pour mes visites officielles.

– Comment?

– Eh oui, moi, un fier descendant des cavaliers des steppes, je suis obligé de me déplacer à dos de chameau. C'est la coutume, qu'ils disent. Tu m'imagines faire mes hommages à l'empereur des empereurs à dos de chameau ?

– Tu ne seras pas pris au sérieux.

– C'est exactement ce qu'ils veulent : que j'aie l'air d'un bouffon, d'une curiosité régionale. Ah, Dim ! Si tu savais comme je t'envie, toi et ta vie simple faite de labeur quotidien et de repos. Je suis riche, je suis puissant. Mais surtout, je suis un objet entre les mains du peuple. Je dois satisfaire les caprices de tous et je ne fais que des insatisfaits. Je vis dans une cage aux barreaux dorés. C'est pourquoi je suis venu jusqu'à toi, à pied, sans rien, avec ma femme que j'aime et notre meilleur serviteur ; je suis venu pour me ressourcer auprès de ceux qui me sont chers et qui mènent la vie que j'aime. Je reprendrai mes fonctions demain. Mais pour ce soir, au diable les mondanités ! Vivement ce repos parmi vous.

Dim présenta Ürgo à ses deux petits-fils. C'étaient des garçons vigoureux et respectueux des traditions. Des cavaliers hors pair qui bientôt feraient leur service militaire. Ils s'agenouillèrent pour saluer leur grand-oncle, intimidés de rencontrer celui dont ils avaient tellement entendu parler, et pas toujours en bien. Comment cet alcoolique brutal avait pu se retrouver à occuper les plus hautes fonctions à l'autre bout du monde, cela demeurait un mystère pour tout le monde.

On servit le repas du soir. Alors qu'ils mangeaient tous avec appétit, assis en cercle sur un grand tapis, le vieil éleveur parla ainsi :

– Demain, tu repartiras avec deux de mes meilleurs chevaux. Il n'est pas question que quelqu'un de mon sang se présente devant Ögödei Khān à dos de chameau. Tu iras devant ton empereur comme un véritable Mongol. Ürgo, mon cousin, je veux que tu saches que tu peux compter sur moi et sur ma famille.

Ürgo le remercia et laissa clairement entendre qu'il ne pouvait y avoir que des avantages à rendre service à un homme aussi puissant que lui. Dim acquiesça, signifiant ainsi qu'il comprenait très bien l'allusion. Après le repas, alors que tous affichaient des mines fatiguées, Dim invita Ürgo, Li-li et Narhu à occuper seuls la yourte. On voulut s'y opposer en disant que c'était faire preuve de trop de largesse, mais le vieil éleveur ne voulut rien savoir.

– Ce n'est pas tous les jours qu'un intendant vient me visiter. Nous dormirons à la belle étoile.

Plus tard, étendue parmi les fourrures, dans cette yourte chaleureuse qui sentait bon le cheval et le fromage de brebis, une coupe dorée à la main, Li-li regardait Ürgo avec des yeux qui brillaient.

– Et alors, mon bon prince?

– Votre optimisme est contagieux, ma bonne amie.

– N'est-ce pas que nos affaires commencent bien à Karakorum?

– Vraiment, oui.

– Vous étiez tellement touchant tout à l'heure. Je devais rester forte pour ne pas m'effondrer, moi aussi. Vous aviez une telle prestance, une force extraordinaire, digne d'un roi.

– C'est un grand malheur de perdre la sœur qu'on aime.

– Je sais, dit-elle en fixant le pauvre Narhu qui dormait sur le tapis de l'entrée, comme un chien. Je la trouve bien chanceuse d'avoir un frère tel que vous.

– Vous n'étiez pas mal non plus. Lorsque vous avez raconté de quelle manière je me suis jeté auprès des cadavres encore chauds de ma sœur et de ses filles… C'était très émouvant.

– C'est parce que vous êtes si inspirant! Demain, mon cher Ürgo, nous ferons une entrée spectaculaire au palais de Karakorum. Vous récupérerez votre dû. Le monde ne peut, ni ne doit, se passer d'un homme tel que vous.

Ürgo acquiesça à ce qui lui semblait des paroles d'une infinie justesse. Il éteignit la lampe de chevet en pinçant la flamme entre ses doigts. Et les deux filous s'endormirent profondément du sommeil du juste, du sommeil de ceux qui ont la conscience claire et limpide, et qui n'ont rien à se reprocher.

* * *

Cette nuit-là, de violents orages éclatèrent. La soirée avait été chaude et l'atmosphère, très lourde. Une pluie abondante tombait. À cause d'une fuite dans le toit de la yourte, une mare s'était formée sur le sol de terre battue. Darhan, après s'être assuré que Zara et le bébé étaient au sec, s'habilla pour sortir.

– Tu as besoin d'aide? demanda Yoni.

– Non, restez couchés. Je vais aller colmater la fuite. Si j'ai besoin de quelqu'un, Souggïs pourra me donner un coup de main.

Dès qu'il mit les pieds à l'extérieur, il fut fouetté par la pluie et trempé en quelques secondes. Il déploya une peau de daim sur son épaule, puis entreprit d'escalader la structure fragile de la yourte en espérant qu'elle supporterait son poids.

Ils étaient arrivés à Karakorum, la veille. Tout comme l'oncle Ürgo, ils furent impressionnés de voir combien la capitale de l'Empire mongol avait changé. Les ambitions d'Ögödei Khān de faire de la cité une ville moderne et prospère faisaient leur chemin.

Tous désiraient ardemment se mêler à cette foule, retrouver cette odeur, cette manière de vivre qui était la leur. Mais Darhan avait refusé. Il était le chef de la famille, et on s'en tint à son jugement. Peut-être craignait-il pour Zara et l'enfant? Le jeune guerrier demeura silencieux sur ses véritables raisons pour éviter d'inquiéter les siens. Mais, au fond de lui, il n'oubliait pas qu'il avait été accusé de traîtrise par Gengis Khān lui-même, peu avant la bataille du mont Helanshan. Ces accusations demeuraient gravées dans les registres officiels. Il craignait de rencontrer un haut gradé qui aurait participé à cette bataille et pourrait le reconnaître et le dénoncer. C'est pourquoi il préféra remonter le fleuve Orkhon pour trouver un endroit tranquille. Ils auraient tout le loisir d'aller en ville pour le ravitaillement, en attendant le prochain voyage pour lequel, Darhan le savait, leurs chemins devraient se séparer de nouveau. Ce voyage ne concernerait que lui, Zara et l'enfant.

Ce fut alors qu'ils avaient trouvé cette vieille yourte abandonnée. Elle devait appartenir à une famille de bergers dont c'étaient les quartiers d'hiver. En cette saison, les bergers devaient avoir migré plus au nord pour y passer l'été avec le troupeau. La laine qui traînait partout sur les lieux ne pouvait tromper sur la nature de l'élevage qu'on y faisait. Si bien que Darhan et les siens se sentirent chez eux aussitôt qu'ils eurent humé les odeurs de la vieille yourte. Personne n'aurait pu en vouloir à ces voyageurs, qui venaient de si loin, de profiter de ces installations pour se reposer.

La pluie tombait de plus belle. Darhan avait à peine posé le pied sur la structure de bois qu'une planche se brisa sous son poids. Il tomba dans l'herbe détrempée en roulant sur la peau de daim. Il releva la tête au moment même où un éclair déchirait le ciel, suivi d'un puissant coup de tonnerre. Il sursauta en apercevant le visage du capitaine Souggïs. Celui-ci était, comme toujours, attaché au dos de Fleur, le cheval.

– Vous m'avez fait peur, dit Darhan en se relevant.

– Vous avez besoin d'un coup de main, jeune maître?

Le guerrier grimpa à califourchon sur Fleur, puis se tint debout sur le fessier de l'animal. Souggïs bougea à peine sa main, et l'animal alla se placer docilement tout contre la yourte. Ainsi, Darhan put réparer la fuite à l'aide de la peau qu'il attacha d'une façon précaire sur des montants, jusqu'à la cheminée. Il se dit qu'il aurait tout le loisir le lendemain, à la lumière du jour, de la fixer comme il faut. L'important, cette nuit, était que l'intérieur ne fût pas inondé. Il sauta en bas du toit, tout à côté du cheval qui ne fut nullement effrayé.

La pluie s'était calmée et ne persistait qu'en un faible crachin. L'orage semblait s'éloigner, avec ses grondements qui se faisaient de plus en plus lointains et ses quelques éclats lumineux, haut dans les nuages.

– Pourquoi ne nous rejoignez-vous pas à l'intérieur, Souggïs? suggéra Darhan. Vous êtes trempé. Nous avons allumé un feu. Vous pourrez vous sécher et vous réchauffer.

– Je n'ai pas froid! répondit l'orgueilleux capitaine.

– Vous pourrez au moins vous sécher.

Souggïs enleva sa chemise qu'il tendit à Darhan.

– Tenez. Faites-la sécher. Je la remettrai quand le mauvais temps sera passé. Sous la pluie, il vaut mieux être torse nu. C'est plus confortable.

– Vous tenez tant que ça à rester dehors, sous cet orage?

– Si Fleur doit rester à l'extérieur, je dois y rester moi aussi. Vous savez, perdre ses jambes, pour un guerrier tel que moi, est l'une des pires épreuves que l'on puisse imaginer. Personne ne devrait vivre ainsi. Et moi, je ne peux vivre avec l'idée d'être inutile ou encore de représenter un fardeau. Aujourd'hui, j'ai trouvé un nouveau sens à ma vie grâce à Fleur. Si je dois être un demi-homme, alors je vivrai sur ce cheval, et ce, tant que j'en serai capable. C'est une question de dignité. Pour moi, être à l'affût du moindre danger et prêt à intervenir pendant que vous dormez est le plus grand honneur qu'on puisse imaginer.

— Je sais que je peux avoir confiance en vous.

— À n'en pas douter.

— Demain, je vais partir.

* * *

Il faisait nuit sur le Grand Canal. Les embarcations, des péniches pour la plupart, étaient amarrées aux quais, ou encore à l'ancre, là où la voie maritime le permettait. À certains endroits, on pouvait trouver jusqu'à vingt péniches, épaule contre épaule, formant une sorte d'immense plateforme flottante qui se démantèlerait au lever du jour. Ces rassemblements spontanés de bateaux donnaient parfois lieu à des échanges musclés entre capitaines, ou à des fêtes spontanées pour de quelconques retrouvailles. Mais, de manière générale, les marins et les passagers se reposaient avant de reprendre leur chemin, au matin, dans un sens ou dans l'autre de la voie maritime.

Quelques embarcations, par contre, préféraient cheminer de nuit, principalement pour gagner du temps en évitant les embouteillages journaliers aux écluses, et ainsi atteindre leur destination plus rapidement. On les voyait glisser en silence dans l'obscurité, leurs fanaux allumés suspendus à la proue et à la poupe.

Sur leur péniche, Hisham et Subaï étaient affectés au voyage de nuit en compagnie d'une douzaine de rameurs. Ils commençaient leur quart de travail au coucher du soleil et ne le terminaient qu'au lever, alors qu'une autre équipe, qui avait dormi sur le pont, les relayait pour la journée. La cale était éclairée par quelques lanternes qui dégageaient une fumée noire à l'odeur de poisson brûlé, rendant l'ambiance glauque et l'air irrespirable. Il faisait extrêmement chaud en cette saison, et tous les hommes travaillaient torse nu en s'essuyant le front régulièrement avec des morceaux de tissu sales que leur fournissait le maître de bord.

– Misère ! soupira Subaï en passant une main dans ses cheveux blonds, trempés de sueur, qui descendaient sur ses épaules. Dans quelle histoire on est encore allés se fourrer ? Mais qu'est-ce que c'est que ce boulot de m…! Qu'est-ce qu'on a fait pour mériter ça ? Trois nuits, qu'ils nous font ramer comme des damnés. Allez, Hisham, personne ne peut nous retenir ici contre notre gré. On leur fout des baffes et on s'en va. Qu'est-ce que t'en dis ?

— J'en dis qu'on n'ira nulle part tant que cette péniche ne sera pas à Pékin et que nous n'aurons pas fait notre rapport. Nous le faisons pour Ji Kung, et il compte sur nous.

— Ji Kung, Darhan ou les autres, c'est toujours nous qui sommes pris pour boulonner. Il me semble que c'est tout ce que nous faisons depuis le début de ces aventures : travailler comme des esclaves ! Travaille aux cuisines, travaille à la mine, fait la guerre, rame ici, rame là.

— Et moi, il me semble que chaque fois que nous nous retrouvons aux travaux forcés, c'est pour réparer une de tes bêtises.

— Pfff…

Le chef de bord vint chercher Hisham pour l'affecter au halage. Le Perse fut heureux de se soustraire à cette discussion qui menaçait de ne jamais finir. Très vite, on avait remarqué sa force phénoménale, si bien qu'il était appelé pour chaque manœuvre d'amarrage.

Le jour, ils dormaient sous des toiles montées sur le pont. Malgré leur fatigue et leur corps endolori par l'effort, ils dormaient très mal. C'était l'été et il faisait chaud. C'était bruyant sur le canal. Ils pouvaient demeurer de longues heures étendus sur des paillasses à discuter, en regardant la rive et les maisons qui défilaient.

— Et alors ? demanda Subaï qui s'étirait en bâillant quand le Perse eut terminé sa manœuvre et fut revenu auprès de lui. Quand est-ce qu'on l'espionne, ton bonhomme ?

— C'est ce qu'on fait. On le surveille.

— De quoi tu parles ? Il n'est pas sorti une seule fois de sa cabine.

— Eh bien, tant mieux. C'est ce que je mettrai dans le rapport aux services secrets.

— Ben voyons, Hisham à cervelle d'oiseau, tu vas faire rire de toi. Tu ne connais rien au métier d'espion. Ce qu'il faut, c'est de l'information. Ce qu'ils veulent, les patrons, c'est qu'on fasse émerger les renseignements. Il faut se glisser à l'intérieur, il faut fouiller ses affaires.

— Tiens, bonne idée, fais donc ça ! Tu te feras mettre aux fers et, moi, je serai bien débarrassé de toi.

— C'est ça, c'est ça ! fit Subaï en regardant avec intérêt la porte de la cabine du mystérieux personnage « illustre ». Un vendeur de produits pharmaceutiques… ça ne peut être qu'un fumiste et un bandit. Nous avons une mission humanitaire. Tu m'entends, Hisham ? Il faut le faire pour le bon peuple Jin qui ne peut plus souffrir cet empoisonneur, ce charlatan !

Le Perse traita son compagnon de fou, puis se retourna sur sa couche pour dormir

Le soleil était au zénith. Tout le monde sur le pont somnolait dans un coin d'ombre, tandis que la grosse péniche glissait lentement sous les efforts circonspects des rameurs. Le trafic augmentait sur le canal chaque fois qu'on approchait d'une ville. Il fallait avancer avec précaution. Un homme à l'avant guidait le barreur et donnait le rythme des coups de rames. Sinon, c'était le calme plat. Profitant du fait que le chef de bord dormait aussi à l'arrière, le petit voleur de Karakorum se glissa furtivement jusqu'à la grosse cabine qui trônait au centre de la péniche.

Il avait remarqué une fenêtre entrouverte, dont le rideau dépassait à l'extérieur et s'agitait dans la brise. Le mystérieux passager avait sans doute trop chaud. Il devait faire une chaleur pas croyable dans cet habitacle. Il s'approcha, voulut jeter un coup d'œil à l'intérieur, mais fut saisi par une odeur infecte qui le figea sur place. Subaï devint vert. Il sentit la péniche se mettre à balancer et le roulis s'amplifier d'une manière surnaturelle. Sans pouvoir se retenir, il s'élança par-dessus le garde-corps pour vomir son dîner de nouilles, qu'il rendit péniblement dans les eaux sales du canal à force de crampes abdominales très douloureuses.

Il se laissa glisser sur le pont et s'assit sur un rouleau de cordage en tenant son ventre à deux mains. Il ne se rappelait pas s'être senti aussi mal depuis cette fois où il avait été mordu par le singe Goubà. Par la fenêtre de la cabine, il aperçut une main toute blanche, aux ongles longs et noirs, en train de tirer le rideau à l'intérieur et de refermer le volet de bois.

Subaï ne dit rien à son compagnon qui dormait en ronflant bruyamment. Il se glissa seulement sur la couche tout à côté et tenta de calmer sa nausée en inspirant l'air frais. Tout lui paraissait dégoûtant et malodorant. Puis, il s'endormit comme on perd connaissance pour se réveiller une heure plus tard, tout en sueur, le cœur battant. Cette main blanche, ces ongles noirs ne quittaient plus son esprit. Il regarda le soleil rougeoyant suspendu au-dessus d'un grand marais, plus loin, et une digue qui retenait les eaux du canal. Cette main qui avait refermé les rideaux ne pouvait appartenir qu'à l'horrible monstre qu'il avait croisé dans l'entrepôt. Il n'avait pas rêvé. Et maintenant, il en était sûr, il voguait avec eux sur cette péniche.

Hisham, qui venait de s'éveiller, s'assit en se grattant la barbe. Chaque fois, il semblait mesurer les poils, qui ne poussaient pas assez vite à son goût à travers l'affreuse cicatrice de son visage.

– La journée s'achève, dit-il. J'ai faim.

– Pas moi, répondit Subaï.

Le Perse observa un moment son ami qui était couché sur le côté, les jambes ramenées sur son ventre. Il savait Subaï dégoûté par la cuisine des Jin. Mais il savait aussi que c'était un gourmand qui pouvait se plaindre infiniment, mais qui finissait toujours son assiette.

– T'es malade?

– Je ne sais pas.

– Comment, tu ne sais pas? T'es malade ou pas?

– Si je te raconte quelque chose, tu vas te moquer de moi?

À l'attitude de Subaï, Hisham comprit que c'était du sérieux. Il acquiesça de la tête, sérieusement, pour mettre son ami en confiance, puis il tendit l'oreille. Subaï, tout d'abord nerveux, commença à raconter comment il avait fui la cité du roi et comment il avait erré dans la ville. Puis il parla du marché et du grand entrepôt avec le gros tas de poissons. Plus il parlait, plus il se faisait hésitant. Sans cesse, il jetait des regards rapides sur la cabine de la péniche. D'une voix très faible, il décrivit ensuite la rencontre entre le Laotien et l'étrange bonhomme blanc qui s'était transformé en bête féroce et qui avait dévoré l'autre.

– Et maintenant, poursuivit le garçon, je suis à peu près sûr que ce monstre est le mystérieux passager. J'ai vu sa main par la fenêtre.

Hisham écoutait en murmurant pour lui-même, pinçant les poils de barbe qu'il avait au menton. Il regardait la cabine d'un air préoccupé. Il s'apprêta à dire quelque chose, mais se retint en levant le doigt... puis il s'esclaffa.

– Pfff... Ha! ha! ha!!! Eh ben, mon gars, tu me fais rigoler avec tes histoires de cannibales!

– Sale menteur, tu m'avais promis que tu n'allais pas te moquer de moi.

– Si j'avais su que t'allais encore essayer de me gaver de tes histoires ridicules, je n'aurais rien dit!

Subaï, furieux, lança son écuelle vide à la tête du Perse qui l'évita en se penchant. Puis, celui-ci releva le menton avec un sourire provocateur. Le petit voleur de Karakorum était hors de lui. Il marchait sur le pont en invectivant son ami et en le poivrant des pires insultes. Hisham, qui trouvait son numéro de moins en moins drôle, commença à se fâcher aussi, et cria à Subaï qu'il était complètement fou et qu'il allait lui donner la fessée. Le petit voleur de Karakorum le mit au défi de seulement s'approcher et menaça de lui mettre son pied au derrière. Hisham voulut répliquer. Ce fut alors que le maître de bord fit son apparition.

Il affichait une mine patibulaire et avait posé une main sur la cravache qu'il portait à la taille. Mais il avait vu Hisham au travail, et jamais il ne s'en serait pris à lui. Toutefois, cette manifestation d'autorité fit son effet, car les deux comparses cessèrent immédiatement leur empoignade.

– Déjà l'heure de ramer ? le questionna Subaï. Le soleil n'est pas encore couché.

– Pas de rames pour vous cette nuit, fit le maître de bord. D'ailleurs, le Perse, on aura besoin de tes bras. Il faudra s'amarrer solidement au quai de Lin-Qin. La municipalité va ouvrir le barrage pendant la nuit pour faire descendre les eaux en amont. Le courant sera puissant et il faudra que ça tienne. Ensuite, les aventuriers, j'ai une mission pour vous.

– Quoi ?

– Vous allez escorter monsieur Zao qui doit aller en ville pour ses affaires.

Subaï blêmit. La nausée le reprit soudainement.

CHAPITRE 8

L'envol

Le soleil était à peine levé qu'Ürgo s'enquérait auprès de son cousin Dim des chevaux promis. Le coquin joua encore ce matin-là sa tragi-comédie pathétique. Il les remercia tout en prenant les airs magnanimes d'un roi fou, en disant qu'il aurait de bons mots pour eux dès qu'il serait devant le khān. Puis il monta à cheval, avec l'aide de plusieurs qui durent pousser sur le gros derrière de cet empoté. On plaignit le cheval qui courba le dos comme un affreux canasson, alors qu'en temps normal, cette bête avait la démarche gracieuse et digne des plus magnifiques pur-sang.

– Comme vous avez fière allure, mon prince ! s'exclama Li-li, applaudissant à tout rompre en regardant Ürgo faire galoper la pauvre bête qui menaçait de s'effondrer à tout moment sur ses pattes bancales.

– Le sang de mes ancêtres coule vivement dans mes veines, chère amie. Les maîtres des chevaux ! Voilà ce que nous sommes, nous, les

Mongols ! Regardez comme cet animal m'obéit au doigt et à l'œil.

Le cheval tout en sueur, contraint par le poids de l'obèse, soufflait comme s'il venait de courir sur une centaine de kilomètres. Il faisait volontiers tous les caprices d'Ürgo, en espérant que ce fardeau épouvantable fût retiré au plus vite de son pauvre dos. Mais le malheureux animal allait pâtir encore longtemps, puisqu'il devait mener son cavalier jusqu'à Karakorum, à quelques kilomètres de là.

On aida Madame Li-li à monter sur la deuxième monture promise, tandis que Narhu courrait derrière, suivant péniblement le pas rapide des chevaux. Ürgo salua de nouveau en offrant sa bénédiction à Dim, à sa famille, au fleuve et aux pâturages. Puis il prit le chemin de Karakorum en longeant l'Orkhon.

Si Dim affichait toujours un grand sourire et s'exprimait avec politesse lorsqu'il s'adressait à son extravagant cousin, ses petits-fils, quant à eux, demeuraient en retrait et réservés face à cet oncle à la réputation sulfureuse. Une fois que leurs visiteurs furent partis, l'un d'eux s'approcha du vieil éleveur et lui souffla à l'oreille :

— Dites-moi, grand-père, comment se fait-il que l'intendant de Kachgar ne sache pas que le khān a quitté le pays depuis deux semaines ?

Si le sourire ne quittait pas le visage ridé du vieillard, ses yeux s'étaient plissés comme ceux d'un faucon.

— On ne peut présumer de rien, fit Dim, mais on peut certainement douter. Peut-être qu'il ne le sait pas. Ou peut-être qu'il se joue de nous. Et si c'était le cas, je te garantis que ce coquin n'en aurait pas fini avec nous.

Le vieux ne croyait pas si bien dire, car, en fin de matinée, il reçut une visite tout à fait inattendue.

* * *

Malgré les airs d'opulence qu'elle se donnait, la ville de Karakorum était gagnée par une certaine morosité. Il y avait à peine deux semaines qu'Ögödei Khān avait enterré son père dans un endroit des Montagnes noires tenu secret. La disparition de ceux qui l'avaient accompagné n'était pas passée inaperçue au sein de la population. Chacun se demandait si Ögödei faisait montre des qualités morales d'un vrai chef. Qui donc maintenant pouvait aller présenter ses hommages et manifester son respect à la dépouille du plus grand des leurs? C'était comme si Ögödei avait voulu se débarrasser de celui qui aurait toujours fait ombrage à son khanat: son propre père.

Sans attendre, il était parti à la tête d'une immense armée en direction des territoires Jin, ce qui signifiait encore pour les familles mongoles de longues saisons, voire des années, sans maris, sans fils, sans hommes.

Une grande agitation régnait en ville en cette saison estivale. De nombreux éleveurs allaient et venaient, mais il ne s'agissait que d'activité normale. Ce qui pouvait surprendre l'observateur qui n'était pas venu à Karakorum depuis des années, c'était le nombre d'étrangers : des commerçants pour la plupart, mais aussi des régiments entiers de mercenaires, des jeunes hommes venus de partout pour s'engager dans la plus grande armée du monde. Ces jeunes gens venaient donner leur vie avec l'espoir de s'en sortir, mais, surtout, de peut-être récolter un bon magot, sachant qu'ils participeraient à des pillages. Personne n'ignorait les richesses du puissant royaume Jin, et les mercenaires avides affluaient de partout. Ils portaient allégeance devant les scribes du palais avant de s'embrigader dans les divers bataillons devant grossir l'armée d'Ögödei, qui se massait sur le plateau de l'Ordos, à la frontière.

Ce fut donc une ville transformée – parfois même angoissante pour ceux qui l'habitaient depuis toujours – qui vit arriver un homme trop gras pour son cheval, devancé par un petit gros torse nu coiffé d'un turban mauve. Ils étaient suivis par une femme habillée d'une robe de soie très longue et couverte de bijoux. Au garde qui le questionna sur son identité, l'homme répondit en élevant la voix: «Je suis Ürgo le Grand.» Le soldat rigola en regardant son compagnon qui en fit tout autant. Les deux hommes s'inclinèrent bien bas.

– Ah bon!… Si vous êtes Ürgo le Grand, allez donc, messire! fit le moqueur. Les portes de Karakorum vous sont ouvertes.

Tous les gardes se bidonnèrent, tandis que le grotesque personnage entrait en gonflant son ventre comme un dindon.

Narhu, devant, écartait la foule d'un bâton.

– Place! Place à Ürgo le Grand!

Et Ürgo saluait de la main comme s'il était à la tête d'une procession.

Si le nombre des visiteurs étrangers avait augmenté au fur et mesure que grossissait l'Empire, Karakorum voyait aussi s'accroître considérablement son lot de personnages extravagants. Nécessairement, l'activité économique intense attirait tout ce que le continent avait de badauds et de charlatans venus flâner et tâter le terrain, pour voir s'il n'y avait pas quelque gain facile à faire. Ainsi, un bouffon hors de l'ordinaire tel qu'Ürgo ne pouvait que s'attirer une certaine forme de sympathie.

Il offrait un divertissement non négligeable et, justement, un commerçant de vin comprit le parti qu'il aurait à tirer de cet hurluberlu. Il lui déroula le tapis rouge et l'installa dans un fauteuil en compagnie de Li-li, avec leur drôle de serviteur à leurs pieds. Comme de fait, ils devinrent une attraction pour la population qui vint s'amuser à rendre hommage à cette ridicule majesté. Si bien qu'en moins d'une heure, la taverne de cet homme était bondée, et ce, avant même midi.

Ürgo, ses pieds nus et sales posés sur un coussin, se gavait de vin et ne cessait d'en redemander. Chaque fois, le patron, complaisant, revenait remplir son godet. Madame Li-li, bien au fait de la plaisanterie, laissait tout de même filer les choses, sachant qu'il y avait quelque avantage à tirer de cette exposition de son cher Ürgo. Elle qui avait le dédain de l'alcool refusait tous les verres qu'on lui offrait, bien sûr. Elle ne cessait de scruter la foule.

À un moment, Ürgo la sentit se figer sur son siège. Puis, elle se leva prestement en remontant sa robe, comme si elle était prête à détaler.

– Mais Li-li, ma bonne amie, que se passe-t-il ? Pourquoi cette hâte ?

– Ürgo, mon prince, je pense que j'ai une surprise pour vous.

– Une surprise !

– Oui, quelque chose de tout à fait inattendu qui vous fera le plus grand plaisir. Mais tout d'abord, donnez-moi quelques sous.

– Des sous ?

– Je les transformerai en or !

Ürgo regarda sa belle avec le sourire, ses yeux illuminés. Transformer ses sous en or signifiait qu'elle les lui rendrait au centuple. Émoustillé, prenant des airs coquins en roulant sa moustache entre ses doigts, il lui tendit un petit sac contenant quelques lourdes pièces de monnaie.

– Allez donc, ô merveilleux trésor. Vous me manquez déjà.

– Vous aussi, vous me manquez déjà.

Elle lui pinça la joue, au plus grand plaisir de la foule qui assistait à la scène comme à une pièce de théâtre. On applaudit à tout rompre en faisant rougir la compagne d'Ürgo.

– Restez ici, chuchota-t-elle. Profitez de tout ce qu'on vous offre. Je serai de retour dans très peu de temps. Surtout, ne vous laissez insulter par personne, c'est capital.

– Ça, vous pouvez être sûre qu'aucun de ces gredins ne me manquera de respect ! répondit-il en élevant la voix et en pointant du doigt la foule qui applaudissait de nouveau en rigolant.

Il observa du coin de l'œil Li-li qui se dirigeait vers deux soldats parmi le public. Elle donna à chacun une pièce de sa bourse, et ils disparurent tous les trois dans la foule.

Ürgo grogna en affichant son mécontentement. Il n'aimait pas que Li-li s'éloigne ainsi de lui. Encore moins avec des étrangers. Puis, ce gros jaloux releva son verre en redemandant du vin. Mais cette fois-ci, le patron le lui refusa sous prétexte qu'il avait assez bu. S'il voulait un autre verre, il fallait payer.

— Comment?! s'exclama Ürgo en se levant de son fauteuil. Tu refuses de me servir à boire? C'est toi qui devrais me payer pour que j'avale ce tord-boyaux. Ce vin ne peut avoir été fait qu'avec l'eau des égouts. Il est surprenant que personne ici ne t'ait écorché vif comme tu le mérites, empoisonneur! Et vous, ajouta-t-il en levant son godet vers la foule, vous allez le laisser faire!? Vous voulez qu'Ürgo le Grand meure de soif?!!

— Non! cria la foule.

— À boire! s'époumona Ürgo.

— À boire! enchaîna un homme.

— À boire! hurla une femme.

— À boire! À boire! À boire! scanda la foule.

Le tenancier, rouge de colère, versa du vin à Ürgo. Puis, il en versa dans tous les godets et les tasses qu'on lui tendait, comprenant que la situation lui échappait. Lorsque son cruchon fut bien vide et qu'il n'y resta pas une seule goutte, il salua tout le monde sans cacher son exaspération. Il se dirigea vers son commerce en maugréant. Toute cette histoire se retournait contre lui, et il regrettait amèrement d'avoir permis à cet extravagant de s'asseoir chez lui. Mais il n'était pas au bout de ses peines ; Ürgo avait vidé son godet d'un seul trait et en demandait de nouveau :

– À boire, aubergiste. Et que ça saute !

En voyant le commerçant balancer le cruchon à bout de bras, la foule devint parfaitement silencieuse. On connaissait bien, sur la place du marché, le coléreux tenancier qui avait jeté plus d'un mercenaire hors de chez lui. Par-dessus tout, il avait vu celui-là donner deux magnifiques pièces de monnaie à sa compagne.

– Tu n'auras plus à boire, espèce d'ivrogne. Tu as tout bu. Maintenant, dégage, je t'ai assez vu !

Ürgo se rappelait très bien les paroles de madame Li-li. Il se souvenait très bien de ce qu'il lui avait promis. Il commença à bouillir sur place. Son visage énorme sembla se gonfler démesurément. Il devint rouge, puis mauve.

– Tu m'as entendu, gros porc ! poursuivit le tenancier en s'approchant encore plus en signe de défi. Dégage !

Ürgo sortit de ses gonds. Il joignit ses mains et les leva au-dessus de sa tête. Et, de tout son poids, il abattit ses poings comme un marteau sur la tête de l'homme qui s'effondra.

– Tu vas voir qui est un gros porc ! Tu vas connaître la colère d'Ürgo le Grand !

Et il frappa le pauvre commerçant à grands coups de pied, en hurlant et en postillonnant comme un possédé.

Recroquevillé sur lui-même, l'homme essaya de se protéger tant bien que mal. La foule en délire applaudit à chaque coup que donnait Ürgo. L'obèse courait à gauche et à droite et sa grosse bedaine s'agitait. Il monta sur une table de bois et sauta pour atterrir sur le commerçant, qui étouffa sous le poids de son gros derrière. Ce dernier lâcha tout son air en sifflant comme un ballon qui se dégonfle. Il gisait à demi inconscient, son faciès grimaçant exprimant une grande douleur.

Ürgo, debout, faisait le fier en bombant le torse, les deux mains sur les hanches. Il fit le tour du commerçant en lui envoyant du sable au visage du bout de sa botte.

– Tu vois, l'ami, c'est ce qui arrive quand on s'en prend à Ürgo. Je suis bon. Je suis magnanime. Je donne tout avec mon cœur. Je suis venu chez toi. Et ta taverne s'est immédiatement remplie. Je suis populaire, on m'aime, c'est normal. J'aurais pu te demander un pourcentage sur tes ventes. Mais je n'ai rien fait. Car tu m'étais sympathique. Mais là, tu as voulu m'humilier devant tout le monde. Tu m'as insulté en me traitant de porc. Et maintenant tu paies. Tu comprends?

L'homme agita la tête pour acquiescer, sans être capable de parler. Ürgo plaça une main en cornet contre son oreille comme s'il cherchait à entendre quelque chose.

– Pardon, tavernier? Tu as dit quelque chose?

– Oui, fit l'homme qui toussa en expulsant du sable.

– Oui, qui?

– Oui, Ürgo le Grand.

– Voilà! Maintenant, sache que je te pardonne. Tu peux servir à boire à tout le monde. C'est ma tournée!

Tous ceux qui avaient assisté à cette scène applaudirent à tout rompre, tandis qu'Ürgo se levait en hochant la tête de satisfaction et en saluant de la main. Il regrettait seulement que Li-li n'ait pas été présente pour jouir de sa prestation. Il savait combien elle aurait aimé le voir et combien elle aurait été fière de lui. Rien ne lui faisait plus plaisir que de séduire sa belle. Ses regards amoureux le nourrissaient depuis le premier jour où il avait posé les yeux sur elle.

L'aubergiste, boitant et se tenant les côtes d'une main, servait le vin à tous lorsque des cris retentirent. Les badauds furent bousculés et la foule s'écarta pour faire place à deux soldats, ceux-là même que Li-li avait abordés. Ils jetèrent aux pieds d'Ürgo une jeune femme qui serrait tout contre elle un bébé.

Li-li apparut derrière, avec l'air mesquin et triomphant. Cette jeune fille qui passait au marché n'avait pas échappé à son regard de harpie. Elle l'avait suivie en compagnie des deux mercenaires et l'avait capturée aussitôt que l'occasion s'était présentée. On l'avait bâillonnée pour qu'elle ne puisse crier à l'aide.

– Voilà votre surprise, mon bon prince.

– Mais, fit Ürgo, incrédule. C'est…

– Oui, c'est bien elle, dit Li-li.

– Et dans ses bras, elle tient…

– Oui, mon amour, c'est notre enfant !

* * *

Au matin, Darhan conduisit sa famille vers Karakorum. Il avait rangé ses habits de guerrier et portait maintenant la tunique du paysan mongol : une robe longue qui lui descendait jusqu'aux genoux et qui rejoignait le haut de ses bottes de cuir. Le vêtement qu'il avait choisi, ou plutôt, que Zara lui avait confectionné pendant le voyage, était d'un bleu très sombre, rabattu à l'avant et retenu par une ceinture de cuir très large ornée de bandes de tissus rouges tressés.

– J'irai seul, avec Zara.

– Et où devons-nous conduire les moutons, mon fils? demanda sa mère. Il semble qu'il n'y ait pas d'espace disponible avant plusieurs heures de marches.

– Descendez le fleuve. On m'a dit que mon grand-oncle Dim, l'éleveur de chevaux, y est installé en aval avec sa famille. Ils vous accueilleront à bras ouvert, j'en suis sûr.

– Très bien. Nous irons voir Dim. Et vous, soyez prudents.

– Nous nous retrouverons en fin de journée.

Sur ces paroles, il jeta un coup d'œil rapide au capitaine Souggïs qui n'avait pas bronché. Le soldat avait accueilli les confidences du jeune guerrier. Il était le seul à savoir que le jeune homme et sa compagne ne reviendraient pas. Ils partiraient le jour même avec l'enfant, en route vers le royaume Jin. Darhan ne lui avait pas révélé les raisons exactes de ce voyage. Pour le moment, seul le jeune Mongol en connaissait le but final. Il avait simplement juré à Zara que ce périple devait être accompli pour le salut de leur âme et de celle de leur enfant.

Comme tous ceux qui y étaient arrivés avant lui, Darhan fut surpris de voir l'effervescence qui régnait à Karakorum. Il réfléchissait à un moyen de traverser le désert en toute quiétude. Il apprit qu'une importante caravane de marchands préparait un départ, mais pas avant la semaine suivante. Et il tenait à partir le plus tôt possible. Le temps comptait plus que tout. Les Mongols allaient lancer leur attaque sur Pékin, et il devait profiter de la pagaille pour pénétrer dans la ville fortifiée. Il se rappelait très bien sa rencontre avec Djin-ko, dans le grand conifère des Montagnes noires. C'était lui qui lui avait parlé du magicien qui retenait l'esprit de son père prisonnier.

La quantité de soldats qui allaient et venaient donna à Darhan l'idée d'offrir ses services en tant que guide. Plusieurs mercenaires arrivaient de très loin, depuis les terres de l'ouest. Certains avaient fait le chemin depuis la mer Caspienne pour servir Ögödei. Ces hommes se trouvaient en territoire inconnu. La traversée du désert de Gobi pour rejoindre les armées du khān, qui avaient près deux semaines d'avance, pouvait se révéler hasardeuse. Les montagnes arides pouvaient devenir de véritables labyrinthes. On pouvait s'y perdre pendant des jours et voir ses réserves d'eau et de nourriture diminuer dangereusement.

Darhan repéra finalement un groupe d'hommes très costauds, à l'allure hostile typique de ceux qui venaient de l'ouest, et portant de grands chapeaux de fourrure sur la tête. Ils avaient de bons chevaux, soignés avec attention, ce qui plut à Darhan. Il apprit qu'ils venaient des territoires de Sibérie. C'étaient des mercenaires yakoutes venus rendre hommage à l'empereur mongol et offrir leur concours dans sa guerre contre les Jin.

Darhan demanda à Zara de l'attendre pendant qu'il négocierait ses services. Il serait de retour dans très peu temps. Mais la jeune femme savait très bien qu'il en aurait pour des heures à discuter avec les Yakoutes; il fallait les mettre en confiance pour ce long voyage, et il y aurait de nombreux échanges de civilités.

En se baladant nonchalamment au marché, regardant les étalages de marchandises, Zara se mit à bavarder avec une vieille dame qui préparait sa laine pour en faire du feutre. De l'eau bouillait dans une grosse marmite sur un feu. La vieille, très aimable, lui offrit une tasse de thé. Zara accepta de bon cœur et s'assit sur le tapis pour l'aider dans sa tâche.

Elles devisèrent de toutes sortes de choses. Zara entretint la dame, entre autres, de ce voyage qu'ils prévoyaient faire et des Yakoutes que Darhan était allé rencontrer. Lorsque la discussion porta sur le bébé, emmitouflé dans une étoffe tout contre Zara, la jeune femme se renfrogna. À celle qui voulait voir le bébé, elle répondit qu'il n'avait pas dormi la nuit d'avant et qu'elle ne voulait pas l'éveiller. En disant cela, elle s'assura que le tissu recouvrait bien l'enfant de la tête aux pieds. La vieille dame n'insista pas et se remit à sa tâche en affirmant qu'un enfant qui a de la difficulté à trouver le sommeil fera un adulte curieux, aventurier et voyageur.

Zara sourit en entendant ces bons mots pour le bébé, mais eut un pincement au cœur lorsque le petit bougea et qu'elle sentit un froid glacial lui envahir la poitrine. Ce fut alors que surgirent les deux mercenaires de madame Li-li. Ils bousculèrent la vieille dame, renversèrent la marmite et piétinèrent la laine. Puis ils entraînèrent Zara de force, tandis qu'elle serrait l'enfant désespérément, impuissante.

La vieille dame, qui resta sur le sol en feignant d'avoir perdu connaissance, regarda du coin l'œil les deux brutes et la mégère qui s'éloignaient en emmenant la jeune fille et son nourrisson. Aussitôt qu'ils disparurent dans la foule amassée devant la taverne, elle se releva et partit d'un pas rapide jusqu'au campement des mercenaires yakoutes.

* * *

— Alors, voleuse d'enfant, tu croyais échapper à Ürgo ?! Tu croyais que j'allais te laisser disparaître au bout du monde avec mon fils ? Oh, que non ! J'aurais traversé cent déserts, escaladé mille montagnes, j'aurais franchi des océans, seulement pour te retrouver et te faire payer l'affront que tu m'as fait !

On avait arraché l'enfant à Zara, qui avait dû céder sous la poigne des deux mercenaires. C'était Li-li qui le tenait maintenant entre ses bras, tandis qu'Ürgo poursuivait son envolée pathétique. La mégère affichait un air décontenancé. Elle tentait de serrer l'enfant contre elle, mais devait chaque fois l'éloigner aussitôt en affichant une moue de dédain.

Ürgo s'avança vers Zara qui demeurait aux aguets. Sans avertissement, elle bondit tel un félin et le fit tomber sur son derrière. Il la regarda dans les yeux. Lui qui était gros et fort, malgré toute l'inhumanité dont il était capable, eut peur. Ce fut alors qu'un cri d'horreur retentit. Zara, qui s'apprêtait à sauter sur Ürgo pour lui régler son compte, sentit son corps se ramollir. Elle crut bien défaillir, mais trouva la force de pivoter sur elle-même. Ses yeux étaient remplis de pleurs.

Madame Li-li venait de découvrir la tête de l'enfant. Le teint pâle, les yeux épouvantés, elle agitait la sienne de gauche à droite en murmurant des paroles incompréhensibles. Puis elle hurla de nouveau en arrachant les étoffes.

– C'est un monstre!!!

Elle leva le bébé bleu à bout de bras. Sans âme, roulant des yeux sans pupilles, l'enfant ouvrit une bouche à l'intérieur tout noir. La foule cria d'effroi. Li-li laissa tomber l'enfant sur le sol en reculant de plusieurs pas. Les badauds s'écartèrent dans un même mouvement, comme s'ils craignaient d'attraper la peste bubonique ou la lèpre.

– Il est damné! entendit-on crier.

– C'est une sorcière! Maudite!

– Lapidez-les!

Zara s'était avancée et se pencha au-dessus du bébé pendant que quelques pierres fusaient en retombant sur le sol sans l'atteindre. Elle leva les yeux sur l'assemblée. Chaque homme eut l'impression qu'elle le regardait en particulier et sondait son âme. Elle demeurait digne, mais incapable de retenir les quelques larmes qui coulaient sur sa joue.

– Combien de temps ? semblait-elle leur demander.

Combien de temps allait durer ce cauchemar qu'elle vivait depuis trop longtemps ?

Elle ramassa le bébé avec beaucoup d'attention, comme si plus rien d'autre n'existait. Ce fut à ce moment-là qu'elle comprit : malgré la malédiction, malgré que ce bébé fût presque mort, inanimé, et ne pleurant jamais, ce damné des esprits, cet enfant était le sien. Elle l'aimait. En le collant tout contre elle et en l'enveloppant avec les étoffes sales, elle sentit le froid entrer en elle. Mais son cœur brûlait d'un feu ardent et inextinguible.

Elle fendit la foule, qui s'écarta pour la laisser passer d'un pas lent et solennel. Jamais elle ne regarda Li-li, l'ignorant complètement en la dépassant, comme si elle ne la connaissait pas. Plus rien n'avait d'importance. Plus personne n'allait leur faire de mal. Zara le savait.

Tout le monde demeurait humble, honteux même. Madame Li-li, qui n'aurait jamais d'enfant, sentit ses nerfs lâcher et s'effondra sur le sol. Un silence absolu plana sur cette scène dramatique, et Zara, aux yeux de tous, devint plus éclatante que la lumière du jour.

– S'ils croient que je vais me laisser émouvoir par une scène aussi pathétique, ils se trompent. Je dis que ce bébé est un monstre et qu'il faut le brûler v…

Ürgo avait parlé sans que personne l'entende et venait d'être brutalement interrompu. Il n'émit plus qu'un long gémissement, comme celui d'un animal en détresse. Sur sa gorge s'appuyait avec force une lame froide et tranchante.

Son gros cœur graisseux se débattait comme un diable au fond de sa poitrine. Il n'osait pas faire le moindre geste, ignorant qui était son agresseur. Tout son esprit demeurait concentré sur cette lame qui menaçait de le saigner comme un porc. Ce fut alors qu'il sentit de la fourrure sur le côté de sa tête. Et une vision cauchemardesque prit forme sur son épaule droite : le museau d'un loup. Les dents blanches, éclatantes, étaient acérées comme des lames de rasoir. Il les sentit s'enfoncer dans la chair de son épaule.

– Ton cheval ! fit une voix qu'il reconnut et qui faillit lui faire perdre la raison.

La lame cessa d'appuyer sur sa gorge. De grosses gouttes de sueur coulaient sur sa figure.

– Sargö ! fit Ürgo. C'est toi… Tu es revenu te venger.

– Ma vengeance ne sera pas pour aujourd'hui. Je dois aller sauver mon fils. Mais je serai bientôt de retour. Je te ferai payer chaque mauvaise action, chaque mauvaise pensée que tu auras eue tout au long de ta misérable vie.

Ürgo, d'une main tremblante, pointa sur sa gauche le magnifique cheval que lui avait donné son cousin Dim. La tête de loup quitta subitement son épaule, les dents arrachant un morceau de sa chair. Il tomba à genoux en hurlant de douleur. Puis, il leva son visage rougi et grimaçant, et reconnut l'homme qui était sur sa monture. Ce n'était pas Sargö, le mari de sa sœur, mais bien Darhan. Le jeune guerrier pointa son épée dans sa direction comme pour lui lancer un dernier avertissement.

L'animal hennit énergiquement en se cambrant sur ses pattes arrières. Puis il fonça dans la foule qui s'éparpilla dans tous les sens pour éviter le pur-sang en furie. À la volée, le cavalier loup saisit la jeune fille et la hissa derrière lui. Le cheval hennit encore. Ils disparurent hors du marché, hors de la ville, et furent emportés jusqu'à la steppe comme s'ils étaient poussés par un vent puissant.

Pendant ce temps, Ürgo hurlait d'une voix éraillée, devant le peuple ébahi.

– Mon cheval ! On m'a volé mon cheval !
De l'or ! De l'or à ceux qui le ramèneront !

* * *

Le pur-sang filait dans un galop infernal sur
la steppe verdoyante. Au loin, le grand fleuve
Orkhon s'éloignait pour faire place à un paysage
de collines infini, qui défilait de chaque côté
comme les vagues d'un océan. Zara et l'enfant
s'appuyèrent contre le dos de Darhan qui sentit
aussitôt le froid morbide lui remonter la colonne
vertébrale.

Derrière, très loin, apparurent une vingtaine de cavaliers qui les avaient pris en chasse
depuis Karakorum. Darhan passa une main
derrière Zara qui la saisit dans la sienne.

– Accroche-toi à moi ! Serre-moi très fort.

Elle l'enlaça de plus belle, serrant de toutes
ses forces.

Zara sentait le mouvement du cheval, son
galop puissant qui l'agitait de partout. Elle sentit
le souffle du vent changer d'intensité dans ses
oreilles. Comme si la bête gagnait en puissance,
en force et en vitesse. Le bruit atténué des sabots
sur le sol lui donna l'impression d'un éloigne-
ment. Elle ouvrit grand les yeux et vit le cheval,
tout petit, qui galopait sur la terre sous elle. Son
corps était désormais appuyé contre le dos du

grand aigle blanc, et le bébé bougeait comme s'il voulait renaître à la vie. Zara regarda les ailes toutes grandes déployées qui les faisaient planer dans les airs. Ils montèrent très haut et disparurent dans les nuages.

Vole, ô grand voyageur des esprits. Vole jusqu'à la cité des Anciens pour libérer l'esprit de ton père, prisonnier du mauvais magicien.

* * *

Ürgo était monté sur le cheval exténué de madame Li-li. Il avait galopé un moment sur la steppe, se faisant distancer par tous ceux à qui il avait promis de l'or. Il pestait en lançant tous les jurons connus. On lui ramena son cheval, qu'on avait retrouvé en train de s'abreuver à une mare. Mais aucun signe de Darhan, ni de Zara et du bébé.

– Mais ça ne se peut pas! Comment peut-on disparaître dans ce pays d'herbes et de collines? C'est impossible, vous m'entendez? Impossible!

Mais, comme tout le monde, il dut se rendre à l'évidence : on ne les retrouverait jamais. Il rentra en promettant de se venger.

Un groupe de cavaliers apparut au loin. Ürgo ressentit un certain malaise en reconnaissant son cousin Dim, accompagné de ses deux fils et suivi de ce cul-de-jatte monté sur un affreux cheval. Tout cela ne lui disait rien de bon.

– Ah ! Mon cousin Dim ! s'exclama Ürgo. Je suis content de te voir. Imagine-toi que je me suis fait voler ton cheval par un voyou. Heureusement, nous l'avons retrouvé et je peux te le rendre comme promis.

– Ta sœur est chez moi.

– Euh… Elle est vivante ? ! s'exclama le bouffon. C'est un miracle !

Et il leva les bras, embrassant le ciel tout entier.

CHAPITRE 9

Dragon

La péniche était solidement amarrée à un quai fait d'un amoncellement de billes de bois immenses qui s'enfonçaient dans des eaux vaseuses. On se demandait d'où provenait des arbres aux dimensions pareilles. De ce pays, certainement, mais d'une époque très lointaine, aussi, car on n'en voyait plus. À cause de la population abondante de l'Empire, les arbres atteignaient rarement leur maturité, coupés trop tôt pour le chauffage ou la construction.

Le barrage, en amont, avait été ouvert en début de soirée. Les eaux du réservoir se vidèrent à grande vitesse dans le canal. À peine les portes ouvertes, on entendit de nombreux cris au loin, sur la rive opposée. Il faisait nuit noire, personne n'y voyait quoi que ce fût. On apprit au matin qu'un bateau avait chaviré et que son équipage avait été emporté par le courant. Le chef de bord leur expliqua plus tard que l'amarrage était une opération dangereuse pour les petites embarcations et que, de ce fait, les accidents étaient nombreux. Heureusement, la péniche était très lourde. Elle tossait durement contre le quai et, chaque fois, la structure émettait des craquements et des grincements atroces, comme si le pauvre navire était à l'agonie.

Subaï allait et venait d'un pas préoccupé. Hisham paraissait parfaitement calme. Laissant ses jambes pendre dans le vide, il respirait l'air du soir; un air d'été chargé des odeurs délicieuses que soufflait le vent depuis les forêts environnantes. Ils attendaient, chacun à leur manière, cette « mission » dont avait parlé le capitaine.

– Pourquoi nous? demanda Subaï.

– Parce qu'il nous trouve sympathiques.

– Parce qu'il nous trouve délicieux, voilà pourquoi!

– Bah… Tu ne vas pas recommencer avec tes histoires de cannibales.

– Nous ne connaissons pas cette ville. Pourquoi voudrait-il de nous pour lui servir de guides? Il m'a repéré, j'en suis sûr. Il sait que j'étais là. Il veut me dévorer!

– Mais non. C'est le chef qui nous a choisis parce qu'il sait que nous pouvons faire le travail, point final. Et ça tombe pile, puisque nous devons l'espionner, ce bonhomme. Nous pourrons écrire dans notre rapport les endroits qu'il a visités à Lin-Qin. Les services secrets Jin seront contents.

On entendit s'ouvrir et se refermer la porte de la cabine de la péniche. Dans la nuit, on ne voyait qu'une lanterne de papier au bout d'un bâton. Elle émettait une lumière orangée qui se balança jusqu'à la passerelle et s'avança sur le quai vers eux. Ils reconnurent le chef de bord. Derrière lui, une ombre dans le noir se tenait à distance. Le capitaine tendit la lanterne à Hisham, mais Subaï se glissa entre eux deux et s'empara du bâton qu'il leur arracha presque des mains. Il serait celui qui ferait la lumière.

Tandis que le capitaine leur faisait ses recommandations, Subaï balançait la lampe à gauche et à droite, en promenant le faisceau sur le quai, sans quitter des yeux cette ombre inquiétante. Elle demeurait immobile et parfaitement silencieuse. Il ne put résister à la tentation : il envoya la lumière de son côté. Son sang se glaça quand il reconnut le terrible petit bonhomme vêtu de sa robe blanche et rouge. Ses yeux étaient fermés, ses paupières maquillées de rouge et son visage, tout de blanc. Il arborait ce drôle de petit chapeau à deux cornes noires. Sa longue moustache brillait à la lumière de la lanterne.

– Messieurs, dit le capitaine de la péniche, je vous présente monsieur Zao.

* * *

Lin-Qin s'étendait sur un vaste territoire, comme toutes les villes que sillonnait le Grand Canal, d'ailleurs. En fait, depuis Keifeng, les agglomérations, cités et bourgades, se succédaient le long du cours d'eau, comme si elles ne formaient qu'une seule et même ville. Ils n'avaient connu que de rares contrées dépeuplées durant le voyage : lorsque le canal empruntait un lac, ou le bras d'une rivière marécageuse.

Monsieur Zao menait la marche. Ils s'enfonçaient d'un pas rapide dans le dédale de petites rues et ruelles aux passages très serrés du quartier du port. C'était une suite infinie d'habitations de bois grossièrement construites sur deux ou même trois étages, avec de grands balcons de bois sculpté de figurines et de personnages mythologiques, et des lanternes aux lueurs incandescentes. Le tout formait de longs couloirs labyrinthiques, sombres et inquiétants.

Subaï suivait immédiatement derrière le sinistre commerçant. Hisham, en retrait, demeurait alerte. Il regardait de tous côtés, prenant son rôle de garde du corps avec beaucoup de sérieux. Le petit voleur de Karakorum semblait hypnotisé par cette robe blanche et rouge qui se déplaçait sur la terre battue et sur les pavés de bois ou de pierre.

Elle filait à toute vitesse, comme si elle flottait sur un coussin d'air. Et la tête étrange de monsieur Zao jetait des ombres troublantes chaque fois qu'ils passaient sous une lanterne.

Jamais il ne leur adressa la parole, jamais il ne les regarda. Ses yeux étaient à demi fermés, donnant l'impression que l'homme était en transe et qu'il se déplaçait seulement par le pouvoir de sa pensée. Ils montèrent un petit escalier entre deux bâtisses et passèrent une grille dont la porte était surmontée d'un arc en fer forgé représentant la tête d'un dragon. Puis, dans une ruelle sur laquelle donnaient des portes surmontées de lampions orangés et tous identiques, ils se dirigèrent vers un curieux bâtiment de forme octogonale : une pagode qui s'élevait sur six étages.

Zao Jong s'arrêta sur le pas de la porte. Il tourna dans sa robe sans que celle-ci ne bouge. Ses yeux grands ouverts étaient d'un noir profond et lumineux. Subaï se rappela avoir déjà contemplé ce regard. Une main levée devant lui, l'index dressé affichant son ongle peint en noir, l'étrange bonhomme parla d'une voix calme et posée, un brin nasillarde.

– Je dois m'entretenir avec l'un de mes élèves. Vous allez m'attendre ici et monter la garde. Si jamais quelqu'un ou quelque chose s'approche, sur terre ou dans les airs, veuillez sonner la cloche.

De son index qu'il tenait toujours bien droit, il indiqua une corde suspendue à une grosse cloche accrochée au-dessus de la porte. Celle-ci s'ouvrit, et la ruelle fut inondée d'une lumière rouge éblouissante. Monsieur Zao les salua de la tête, puis disparut dans l'éclat lumineux. La porte se referma en silence, plongeant les deux compagnons dans l'ombre.

Subaï dévisagea Hisham, les mains sur les hanches. Le Perse faisait dos à la porte, ses épaules bien droites, ses bras croisés sur son torse énorme, montant la garde.

– Et puis? le questionna le petit voleur.

– Et puis quoi?

– Mais tu es aveugle? Ce type dans sa robe blanche qui file comme un fantôme…

– Ben quoi?

– Eh, oh, Hisham, cervelle d'oiseau! Ça ne te sonne pas les cloches? Tu ne vois pas que tout ça n'est pas normal?!!

– Bah!… J'avoue qu'il y a des choses qui ne sont pas claires. Je le mettrai dans mon rapport aux services secrets.

– Eh ben, dis donc, ton court séjour à Keifeng t'a transformé en vrai champion fonctionnaire !

– Écoute, Subaï, pour l'instant, je ne vois rien de surnaturel. Il n'y a rien qui m'inquiète, et tout me paraît normal. Original, mais normal.

– Mais tu es complètement bouché ! Il nous a dit de surveiller les choses qui approche- raient « dans les airs » ! Tu vas me dire que c'est normal ? Qu'est-ce que ça veut dire, ça, « dans les airs », hein ? Qui tu connais qui va arriver chez toi « dans les airs » ?

Hisham haussa les épaules comme s'il ne voulait plus en entendre parler. Tout ce qu'il souhaitait, c'était que ce voyage ennuyeux se termine. Mais Subaï ne voulait pas lâcher prise. Et il continua à s'énerver :

– Je vais te dire qui c'est, ce gars : c'est un vampire ! Et là, il est parti manger du monde dans la pagode infernale ! Mais il a peur de se faire attaquer par ses ennemis vampires ! Tu comprends ? C'est les vampires qui arrivent en volant dans les airs. Il faut fuir, Hisham ! Il faut fuir à toutes jambes, sinon on va finir dans l'estomac de ce pervers !

* * *

Subaï faisait les cent pas devant la pagode octogonale. Il levait les yeux régulièrement en contemplant le sinistre bâtiment et ses six étages.

– Ça fait combien de temps qu'il est entré là-dedans ? demanda-t-il. Le soleil va se lever d'un moment à l'autre. Si c'est un hôtel et s'il devait y passer la nuit, il aurait dû nous prévenir.

Hisham, qui ne dormait que d'un œil, le regarda en lui faisant comprendre qu'il n'avait pas entendu. Mais l'autre ne remarqua rien et il poursuivit ses allées et venues.

– Je pense qu'il faut aller voir.

– Tu me fais rigoler. Toi qui voyais des cannibales et des vampires en train de prendre d'assaut la pagode infernale, tu veux aller y jeter un coup d'œil maintenant?

– Bah!… Je ne te laisserai pas tout seul ici parce que tu es un gros bêta et que tu vas te faire dévorer. Autant jeter un petit coup d'œil. Nos supérieurs seraient contents. Qu'est-ce que t'en dis?

Sur toute la gamme des sentiments, la curiosité l'emportait toujours chez Subaï. Quant à Hisham, la lassitude avait tendance à le gagner rapidement. Si bien que le Perse, qui en avait marre de bayer aux corneilles, accepta, au plus grand étonnement de son compagnon.

– Mais ne t'attarde pas et ne te fais pas voir.

– Eh ben… Tu ne viens pas?

– Non. Moi, je reste dehors et je surveille la flotte des vampires volants. S'ils se pointent, je vais sonner la cloche.

– Gros malin…

Ils collèrent chacun une oreille contre la grosse porte de bois de la pagode. Ils restèrent ainsi un long moment, sans rien entendre. Puis, ils l'ouvrirent en plissant les yeux, à mesure que la lumière rouge filtrait par l'ouverture et illuminait leurs visages. En passant la tête à l'intérieur, ils aperçurent, suspendue au plafond, l'énorme lanterne rouge qui diffusait cette lueur aveuglante. Elle éclairait une pièce richement meublée qui faisait office de hall d'entrée et de salle d'attente. Il y avait plusieurs divans luxueux au rembourrage démesuré, recouverts de tissu brodé de fil de soie doré. Le sol était de bois noir, ciré. Sur les murs, depuis le plafond, pendaient de grandes draperies de couleur rouge et orangée. Une drôle d'odeur flottait dans la pièce.

– Eh ben, dis donc! s'extasia Hihsam en étirant le cou au maximum. T'as déjà vu un endroit pareil?

– Pas mal!

– Tu es certain de vouloir y aller?

– C'est dangereux, mais je le fais pour la bonne cause. Ce pharmacien cannibale n'a qu'à bien se tenir!

Le petit voleur de Karakorum se glissa furtivement dans la pièce, la traversant à toute vitesse jusqu'à une draperie derrière laquelle il se cacha. Manifestement, il était seul. Il chercha à deviner quelle pouvait être cette odeur étrange qu'il ne connaissait pas. Il sortit de sa cache en envoyant la main à Hisham. La grosse lanterne rouge émettait une lumière déconcertante et dégageait une chaleur extrême. Il était impossible de se tenir dessous sans avoir l'impression d'être en train de griller comme un poulet. Sur le mur opposé, Subaï vit une porte.

Il s'en approcha à pas feutrés et l'entrebâilla discrètement. Il tendit l'oreille un court instant, puis disparut de l'autre côté en la refermant derrière lui.

Il se retrouva devant un long couloir. Une fumée dense flottait dans l'air. Très vite, ses yeux se mirent à piquer. Une certaine angoisse s'empara de lui, le faisant hésiter. Mais il ne pouvait plus reculer, il le savait. Sa curiosité le poussait à s'aventurer bien plus en avant dans cet endroit mystérieux. Du bout du corridor qui s'était dévoilé à lui, une musique très douce se fit entendre. C'étaient des cordes que l'on pinçait lentement, en jouant de longs harmoniques avec des trémolos qui ne finissaient pas. Subaï en eut des frissons. Il traversa le couloir en quelques pas, pour aboutir dans une autre grande pièce décorée de draperies et de coussins. Ici et là, des hommes étaient étendus, à moitié endormis pour la plupart, tandis que d'autres fumaient de longues pipes. Des vieilles dames, vêtues sombrement de robes grises, allaient et venaient en servant du thé et de l'eau. D'autres s'affairaient à remplir les pipes d'un curieux mélange et les allumaient avec de longues allumettes. Les hommes, qui paraissaient morts sur les coussins, trouvaient cependant la force d'inspirer la fumée à grandes bouffées.

Sur une petite estrade, une femme jouait du pipa, emplissant la pièce de cette musique langoureuse qui flottait entre les volutes de fumée. Ce fut alors que Subaï le vit ; monsieur Zao, assis dans un coin sombre éclairé par quelques chandelles en fin de vie. Il semblait discuter avec un homme très âgé, qui paraissait avoir trois fois son âge.

Le sinistre magicien leva son visage maquillé de blanc. Ses yeux noirs au pourtour rouge s'enfoncèrent dans ceux de Subaï, depuis le fond de la pièce. Le petit voleur fut incapable de détourner la tête, comme si deux tentacules s'étiraient pour retenir ses rétines en place et ses paupières toutes grandes ouvertes. Le regard de Zao Jong semblait provenir de partout à la fois, comme s'il émergeait depuis un miroir sphérique. Étourdi, Subaï perdit l'équilibre et tomba sur le sol. Il recula péniblement en se traînant sur les mains. Puis, à son grand désarroi, il vit le magicien venir jusqu'à lui en volant d'une manière saccadée, comme l'aurait fait un oiseau.

— Je vous ai fait attendre, s'excusa-t-il. J'avais mille choses à régler. Mais nous pouvons partir.

— Ah ! bon…, balbutia Subaï.

Il était obsédé par ce regard profond, intense et noir qui l'aspirait. Tellement qu'il crut défaillir de nouveau. Mais heureusement, Zao Jong referma les paupières. Subaï en profita pour arracher ses yeux à ceux du magicien, pour les poser sur une lampe orange qui semblait flotter en dansant sur les nuées rejetées par les fumeurs de pipes.

— Nous devons nous dépêcher, le pressa monsieur Zao. Il faut être à Pékin au plus vite. Il approche…

— Qui approche ?

Le magicien sourit en exposant de grandes dents blanches, parfaitement alignées.

— Certains affirment que la curiosité est un vilain défaut, poursuivit Zao Jong.

— Ah bon, un défaut ?

— Mais, personnellement, j'ai tendance à croire que c'est une belle qualité. Être curieux, c'est vouloir savoir. C'est l'une des assises de la connaissance.

Il avait parlé, Subaï en était sûr, avec quelque chose dans la voix qui ressemblait à de l'appétit. Comme lorsqu'on s'apprête à dévorer un mets présenté de manière alléchante sur une table devant soi. Le petit voleur de Karakorum, qui n'oubliait pas la scène de l'entrepôt de Keifeng, en fut secoué de frissons.

Il suivit l'inquiétant bonhomme dans le corridor, puis par-delà le hall d'entrée aux drapés rouges pour rejoindre Hisham qui les attendait dehors. Le jour était levé. C'était tôt le matin, mais il faisait déjà chaud et humide. Le ciel était couvert de nuages gris. Ils avaient à peine rejoint la péniche qu'un petit crachin commença à tomber.

La grosse barge était dans une très mauvaise posture. Des amarres avaient lâché pendant la nuit. Elle s'était retrouvée à quelques mètres du quai, perpendiculaire à celui-ci. On avait réussi à immobiliser l'arrière dans le courant en jetant une ancre en catastrophe. L'équipage fut soulagé en voyant Hisham arriver.

Dans une démonstration de force dont lui seul était capable, le Perse saisit une haussière qu'on lui envoya depuis la péniche. Il s'assura que ses pieds étaient bien en place sur le quai, en les coinçant entre les planches pour un meilleur appui. Alors, en tendant son dos, en déployant ses épaules, il grogna comme un ours. Son visage devint rouge, et les biceps de ses bras immenses se gonflèrent tandis que commençait la manœuvre de halage. Le bateau, malgré son poids et le courant du canal, vint accoster tout doucement.

Le chef de bord en descendit et s'inclina devant Hisham pour le remercier en louant ses extraordinaires capacités. Mais celui qui semblait le plus impressionné et ravi de la force du Perse, c'était Zao Jong. Le petit bonhomme dans sa robe rouge et blanche s'était glissé tout près du géant. Son visage tout maquillé de blanc affichait un grand sourire, exposant ses dents blanches.

– Vous êtes prodigieusement fort, monsieur. C'est une qualité appréciable qui fait de vous un être indispensable.

– Vous me faites trop d'honneur, monsieur, répondit Hisham qui gonfla le torse en faisant le fier. Je ne fais qu'aider comme je le peux, sans plus.

– Votre humilité vous honore.

Encore une fois, Subaï eut la même impression ; il était persuadé que le sinistre personnage regardait Hisham avec appétit.

* * *

La pluie tomba toute la matinée. Comme c'était souvent le cas par des journées pareilles, ils dormirent tous les deux d'un sommeil profond, bercés par le bruit des flots et des gouttes de pluie qui frappaient la toile. Au milieu de la journée, ce fut le chef de bord qui les réveilla. Il leur annonça que monsieur Zao désirait qu'ils se joignent à lui, dans sa cabine, pour le thé. La porte était déjà entrouverte.

– Ah, non merci ! s'écria Subaï. Sans façon. Dites-lui que nous sommes occupés à faire autre chose et que nous ne pouvons pas lui rendre visite.

– Pardonnez mon compagnon, temporisa Hisham, qui avait encore à l'esprit les flatteries de Zao Jong. Il est très mal élevé. C'est avec plaisir que j'irai prendre le thé avec lui.

Le chef de bord acquiesça et s'en alla avertir son maître. Subaï frappa Hisham à l'épaule.

– T'es fou !

– Mais pourquoi ?

– Tu as vu comment il nous regarde, ce bonhomme ? On dirait un lézard qui n'a rien mangé depuis des mois. Ce n'est pas du thé qu'il veut nous faire boire, c'est du poison, pour ensuite nous dévorer.

– Tu commences à m'agacer sérieusement avec tes histoires saugrenues. On m'a invité à prendre le thé, j'y vais.

– Et tu vas mettre ça dans ton rapport ?

– Exactement.

Subaï, qui ne pouvait tolérer qu'il se passe quelque chose sans qu'il y assiste, suivit Hisham en poursuivant ses jérémiades.

La cabine de monsieur Zao était sobrement meublée. Dans un coin se dressait un lit qui aurait pu appartenir à un enfant. Il n'y avait en outre qu'un petit poêle pour faire le thé et une table de travail avec des plumes, de l'encre et de nombreux parchemins, dont plusieurs roulaient sur le sol à cause du roulis.

– Veuillez excuser ce désordre, fit Zao Jong. Malgré ce voyage, je dois voir à mes affaires. J'importe des produits en provenance de partout dans le monde, je dois vérifier mes comptes avec mes créanciers. Je dois aussi, bien sûr, veiller à ce que tous ceux qui me doivent de l'argent me remboursent mon dû.

– Et qu'est-ce que vous faites quand quelqu'un refuse de vous payer ? demanda Subaï.

Zao Jong eut un grand sourire qui dévoila ses dents blanches.

Avec des gestes maniérés, en suivant un rituel précis, voire fastidieux, le petit bonhomme leur servit le thé. Son maquillage était frais et luisant. Le rouge autour de ses yeux était particulièrement éclatant. Subaï préféra une tasse d'eau chaude, craignant que le sinistre personnage ne leur fasse boire du poison. Hisham accepta le thé. Il en vanta les mérites à monsieur Zao, qui l'informa que c'était du thé de la région de Hunan. Un thé appelé « aiguille d'argent du mont de l'empereur », cultivé sur les flancs du mont Jun Shan.

— Difficile de trouver mieux, ajouta-t-il, un brin vaniteux.

Puis il entama la discussion.

— Si je vous ai fait venir ici, c'est pour solliciter vos services. Vous êtes des gens exceptionnels, avec de fortes qualités morales. Vous me semblez honnêtes aussi. J'insiste pour que vous travailliez pour moi. Je vous paierai très bien.

— C'est très gentil de penser à nous, mais il faudra nous oublier, répondit Subaï. La pharmacopée chinoise, ce n'est pas trop notre truc.

— Mes affaires dépassent de très loin le domaine de la pharmacopée, mon jeune ami. Je vais à Pékin pour une entreprise très sérieuse.

Zao Jong, désirant insister sur le fait qu'un refus n'était pas une réponse acceptable, fixa Subaï de ses yeux noirs et profonds. Le garçon sentit sa tête se mettre à tourner. Il vit des étoiles comme s'il s'enfonçait dans la voûte céleste. Puis il se retourna vers Hisham qui tenait sa tasse de thé.

– Je sais qui a un regard pareil, dit-il soudain.

– Qui donc?

– Darhan.

Aussitôt que fut prononcé le nom du jeune guerrier, Zao Jong siffla comme un serpent, d'une manière si forte et si puissante qu'ils se jetèrent sur le sol en se bouchant les oreilles et en grimaçant comme si leurs tympans venaient d'éclater. Une odeur intense de poisson pourri commença à flotter dans la pièce, et ils furent pris de nausée. Ils levèrent les yeux sur monsieur Zao qui était en train de se métamorphoser: sa courte physionomie s'allongeait incroyablement, tellement qu'il dut courber le dos au moment où il atteignit le plafond.

Le magicien eut de nouveau cet effroyable sifflement hurleur. Mais cette fois, les yeux blancs, révulsés vers l'arrière, il ouvrit tout grand la bouche et dévoila des dents acérées comme des lames de rasoir. Sa langue était rose et fourchue comme celle des reptiles. Sa figure n'était plus humaine. Son nez et sa bouche s'étaient allongés démesurément. Ses yeux avaient basculé de chaque côté de sa tête. De grandes cornes noires avaient poussé à travers une crinière de poils rouges flamboyants. Ses yeux étaient immenses, rouges comme le sang, et au bout de ses doigts s'étiraient des ongles longs et crochus d'un noir nacré.

Il hurla de nouveau, forçant les deux compagnons à se boucher les oreilles. Mais rien ne semblait empêcher le bruit morbide de pénétrer dans leur esprit. Zao Jong s'était transformé en un horrible dragon blanc et noir à la crinière rouge.

Il siffla et cracha un venin corrosif qui leur brûla la peau. Hisham et Subaï hurlèrent de douleur. Très vite, ils sentirent leurs membres se figer. Ils étaient paralysés.

Incapables de bouger, écrasés par une pression incroyable qui les empêchait de respirer, ils avaient l'effroyable sensation que des milliers de vers de terre se déplaçaient à l'intérieur de leur corps. Avant de perdre conscience, ils virent le dragon s'avancer vers eux, la gueule grande ouverte.

LEXIQUE

Aïzong: Dernier roi de la dynastie Jin. Il se suicida en 1234 pour éviter d'être capturé par Ögödei Khān.

Altaï: Chaînes de montagnes de l'Asie centrale russe, chinoise et mongole. Le plus haut sommet culmine à 4 506 m.

Baïkal (lac): Grand lac de la Sibérie méridionale. Il couvre 31 500 km² avec 1 620 m de profondeur, ce qui en fait le lac le plus profond du monde.

Caravansérail: Lieu accueillant les marchands et les pèlerins le long des routes du desert.

Caspienne (mer): Mer intérieure de l'Asie. Avec une superficie de 371 000 km², elle est la plus grande masse d'eau enclavée du monde.

Eriqaya: Moderne Yinchuan. Elle était la capitale du royaume tangut.

Gobi (désert): Grand désert du nord de la Chine et du sud de la Mongolie. Son nom signifie désert en langue mongole.

Han: Désigne l'ethnie chinoise. La dynastie Han regna de 206 av. J.-C. à 220 ap. J.-C.

Hangzhou: Situé à 200 km au sud de Shanghaï, Hangzhou fut la capitale des Song du sud.

Helanshan: Chaîne de montagnes servant de frontière naturelle contre les vents du désert de Gobi.

Huang he: Dit le fleuve Jaune. Deuxième plus long cours d'eau de Chine. Il fertilise toute la plaine nord de la Chine.

Jin (dynastie): 1115-1234. Originaire de Mandchourie. Les Jin ont consolidé un puissant empire qui s'étendait de la Corée, au nord, jusqu'à l'empire Song, au sud. Ils firent de Pékin leur capitale. L'empire fut détruit par Ögödei Khān, troisième fils de Gengis Khān.

Karakhanide: Dynastie de Transoxiane d'origine Turque qui régna entre 840 et 1212 en Asie centrale. Ils se réclamaient du héros perse Afrasiab.

Karakorum: Capitale de l'ancien Empire mongol dont les ruines se situent au sud d'Oulan-Bator, capitale de la Mongolie moderne.

Kachgar: Ville de Chine, capitale du Xinjiang. Fut, de tout temps, un passage obligé sur la route de la soie. Sa position stratégique en a fait un enjeu capital dans les grandes guerres qui dévastèrent l'Asie centrale.

Keifeng: Capitale impériale de la dynastie Song jusqu'à sa chute aux mains des Jins. Elle sera pillée par les Mongols d'Ögödei Khān en 1233.

Keshig: La garde personnelle de Gengis Khān. De 150 hommes à l'origine, elle en comptera plus de 10 000 à sa mort.

Khanat: Royaume turc ou mongol, dirigé par un khān.

Kuriltaï : Assemblée des chefs des tribus mongoles. Tous les khāns étaient élus par le kuriltaï.

Lin-Qin : Ville de la Chine ancienne.

Li-Zong : 14e empereur de la dynastie Song, son règne durera 40 ans. Il s'alliera aux Mongols d'Ögödei Khān pour provoquer la chute de ses ennemis jurés, les Jins. Les Mongols se retourneront contre lui en 1259.

Ming (dynastie) : Lignée d'empereurs qui a dirigé la Chine de 1368 à 1644.

Nadaam : Grand festival mongol. Il signifie «jeux» en langue mongole. On y pratique le tir à l'arc, la lutte et la course à cheval.

Nestorien : Première forme sous laquelle le christianisme s'introduit en Extrême-Orient. La mère de Gengis Khān était de confession nestorienne.

Ordos : Région désertique au sud du désert de Gobi, encerclé au nord et à l'est par le fleuve Huang he.

Orkhon (fleuve) : Fleuve long de 1 124 km, traversant le nord de la Mongolie.

Pékin (Beijing) : Capitale de la Chine moderne. Elle fut celle de la dynastie Jin jusqu'à leur soumission aux envahisseurs mongols. Kubilaï Khān, petit-fils de Gengis Khān, en fera sa capitale lors son accession à la tête de l'Empire en 1259.

Perse: Peuple descendant des Achéménides (VIe-IVe siècle av. J.-C.) et des Sassanides (IIIe-VIIe siècle apr. J.-C.) qui imposèrent leur culture à l'ensemble de l'Iran contemporain.

Qarluq: Descendants des tribus nomades turques qui s'installèrent à l'est des monts de l'Altaï. Ils connurent leur apogée en 766 avant de se soumettre aux Chinois Tang, aux Karakhanides, puis aux Mongols.

Qin (dynastie): Premier empire unifié de la Chine, fondé par Ying Zheng qui mit fin au régime féodale qui régnait alors. Il prendra le nom de Qin Shi Huangdi signifiant Premier Auguste Empereur de Qin.

Qiyat: Tribu mongole d'où est issu Temujin-Gengis Khān.

Samarkand: Ville d'Ouzbékistan au passé glorieux et légendaire. Fut louangé de tous temps par les poètes pour sa magnificence qui atteignit son apogée avec Tamerlan (1370-1405).

Song (dynastie): 960-1279. Grande dynastie qui contrôla la Chine (960-1127) avec Kaifeng pour capitale, puis Hangzhou (1127-1279) à la suite de la prise de Keifeng par les Jin. Fut annexé par la dynastie mongole Yuan en 1279.

Sun Tzu: Général chinois du 5e siècle avant notre ère. Il est célèbre pour son ouvrage *l'art de la guerre,* un traité sur les stratégies militaires qui fait encore école aujourd'hui.

Taklamakan (désert): Désert d'Asie centrale. Passage obligé de la route de la soie vers l'Extrême-Orient. Le nom signifie à peu près «l'endroit d'où on ne revient pas».

Tangut: Appelé Xi-Xia par les Chinois (982-1227). Royaume fondé en 982 par des tribus tibétaines dans les plaines du Sichuan. Détruit par les Mongols en 1227.

Tao: Terme de philosophie chinoise signifiant route, voie ou chemin. Il est la force fondamentale qui coule en toute chose dans l'univers.

Tian Shan (monts): Chaînes de montagnes d'Asie centrale situées à l'ouest du désert de Taklamakan. Le plus haut sommet (pic Pobedy) culmine à 7 439 m.

Wuchang: Moderne Wuhan avec les villes d'Hankou et Hanyang. Wuchang fut renommé de tout temps pour les arts qu'on y pratiquait, spécifiquement la poésie. Elle fut déclarée capitale provinciale sous la dynastie mongole Yuan.

Yuan (dynastie): Dynastie qui a régné sur la Chine de 1271 à 1368. Elle fut fondée par l'empereur mongol Kubilaï Khān.

Zhengzhou: Ville dont l'histoire très ancienne date de plus de 3600 ans. Elle fut la capitale des dynasties Shang, Sui, Tang et Song.

Celtina

La Pierre de Fâl – Tome 10
Maintenant en librairie

Le guide du porteur de masques
En librairie

LEONIS

L'Offrande suprême - Tome 12

EN LIBRAIRIE

La production du titre : *Darhan, La quête* sur 6 520 lb de papier Enviro Antique 100M plutôt que sur du papier vierge aide l'environnement des façons suivantes :

Arbres sauvés : 55
Évite la production de déchets : 1 597 kg
Réduit la quantité d'eau : 151 108 L
Réduit les matières en suspension dans l'eau : 10,1 kg
Réduit les émissions atmosphériques : 3 508 kg
Réduit la consommation de gaz naturel : 228 m³

Transcontinental
IMPRESSION
IMPRIMERIE GAGNÉ